Construcción de elementos no estructurales

Ejercicios

Construcción de elementos no estructurales

Ejercicios

Autores

Céspedes López, Mª Francisca

Mora García, Raúl Tomás

Jiménez Delgado, Antonio

Rodríguez Valenzuela, Leoncio

Con la participación de:

Toledo Marhuenda, Elena

Pacheco Mateo, Mª del Rosario

Construcción de elementos no estructurales. Ejercicios

© Mª Francisca Céspedes López
   Raúl Tomás Mora García
   Antonio Jiménez Delgado
   Leoncio Rodríguez Valenzuela

Con la participación de: Elena Toledo Marhuenda y Mª del Rosario Pacheco Mateo

ISBN: 978-84-9948-701-4
Depósito legal: A 208-2012

Edita: Editorial Club Universitario Telf.: 96 567 61 33
C/ Decano, nº 4 – 03690 San Vicente (Alicante)
www.ecu.fm
e-mail: ecu@ecu.fm

Printed in Spain
Imprime: Imprenta Gamma Telf.: 96 567 19 87
C/ Cottolengo, nº 25 – 03690 San Vicente (Alicante)
www.gamma.fm
gamma@gamma.fm

Índice

Introducción

Desde la asignatura de Construcción de Elementos no Estructurales se pretende fomentar, por parte del profesorado, el sentido crítico del alumno. Para ello se realizan problemas reales que se estudian tanto dentro como fuera del aula. No se debe olvidar que una de las funciones más importantes de un Arquitecto Técnico o Ingeniero de Edificación es la ejecución de obra.

Un técnico de esta índole debe conocer la diversidad de soluciones constructivas que pueden llegar a plantearse, así como los materiales y técnicas de ejecución más adecuados para dar respuesta a los requisitos del proyecto, teniendo siempre en cuenta las diferentes normas. Todo ello sin olvidar la importancia del plazo, coste, calidad y seguridad de la obra.

Esto hace que esta profesión sea una de las más complejas de ejercer, ya que requiere una firme vocación y un sano juicio práctico. Dada la relevancia de las decisiones que se han de tomar, coordinación de trabajos, así como las implicaciones económicas, técnicas y de seguridad.

Con el siguiente documento, se pretende que los estudiantes fomenten la actitud positiva hacia el aprendizaje, mediante la resolución de ejercicios prácticos, de forma que se puedan poner en práctica los conocimientos adquiridos en el aula.

Los ejercicios planteados en la siguiente publicación son consecuencia de la recopilación de exámenes de cursos anteriores desde 1998 hasta 2011. Estos ejercicios se han modificado y adaptado a la normativa vigente.

Para poder solucionar algunos de los ejercicios es necesario recurrir a varios documentos, como pueden ser el documento básico de salubridad (HS), ruido (HR), utilización y accesibilidad (SUA) del Código Técnico de la Edificación (CTE).

Son actividades que pueden resolverse de forma independiente o colaborativa, en este último caso sería recomendable en grupos de 3 a 5 personas. El objetivo final es que los alumnos adquieran responsabilidad, conocimientos y confianza en el trabajo que realizan, desarrollando habilidades tales como búsqueda de información, dar y recibir opiniones, capacidad en la resolución de problemas, etc.

En todos los ejercicios hay una parte gráfica (dibujo) y otra descriptiva (leyenda). En las secciones constructivas se han de indicar todos aquellos elementos necesarios (forjados, pavimentos, falsos techos, carpinterías, revestimientos, etc.), teniendo en cuenta la solución más adecuada según el CTE y sentido común, para evitar filtraciones de agua en el edificio, ruidos, caídas, etc.

Los exámenes parciales están diseñados para resolverse en 3 horas, mientras que los finales requieren de 1 hora y 30 min para un bloque y 3 horas para los dos bloques.

Los autores

PARCIAL FEBRERO 1998

ENUNCIADO:

FACHADAS (Conforme a croquis adjunto A):

Se tiene un edificio de cinco plantas, situadas en el casco urbano de Madrid. La planta baja destinada a local comercial y cuatro plantas piso destinadas a viviendas.

Las alturas libres entre forjados son: en planta baja de 4,50 m; en planta piso de 2,70 m y canto de forjados de 0,30 m.

Datos del cerramiento:

- Hoja exterior: Fábrica de ladrillo visto de 11,5 cm.
- Aislamiento térmico: 4 cm.
- Cámara de aire: 4 cm.
- Hoja interior: Fábrica de ladrillo cerámico hueco de 7 cm.
- Carpintería exterior: Ventana corredera de 1,30 m de madera de pino de Oregón.
- Vierteaguas, dintel y jambas de toda la fachada: Ladrillo visto.
- Protección solar en viviendas: Elemento que proporcione un oscurecimiento total.
- Local:
  - Protección al robo: Persiana metálica enrollable de 3,50x3,00 m.
  - Huecos: Cerramiento fijo de vidrio (ancho de 3,50 m).

CUBIERTAS (Conforme a croquis adjunto B):

- **Edificio 1:** Cubierta inclinada, con chapa metálica de acero galvanizado con estructura metálica.

- **Edificio 2:** Cubierta plana invertida con sistema de impermeabilización semiadherido, con pavimento de baldosa de cemento de 20x20 cm. Existe un conducto de ventilación de las viviendas y un desagüe.

Se pide:

- **BLOQUE II:** Fachadas y cubiertas.
  - **Realizar las secciones verticales:**
    - **Detalle A:** Arranque de fachada, planta baja y planta piso 1.
    - **Sección A-A':** Cumbrera / Alero / Antepecho / Chimenea / Sumidero.
  - **Justificar** que la solución de fachada planteada cumple con los requisitos de impermeabilidad fijados por el CTE.

Detalle-A

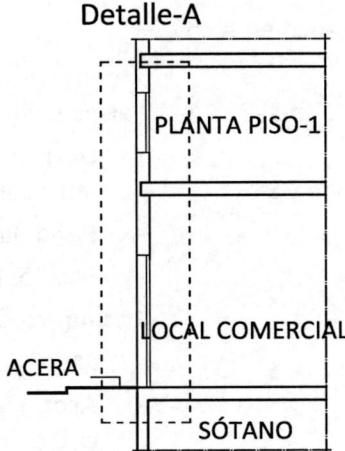

PLANTA PISO-1

LOCAL COMERCIAL

ACERA

SÓTANO

CROQUIS - A. FACHADAS

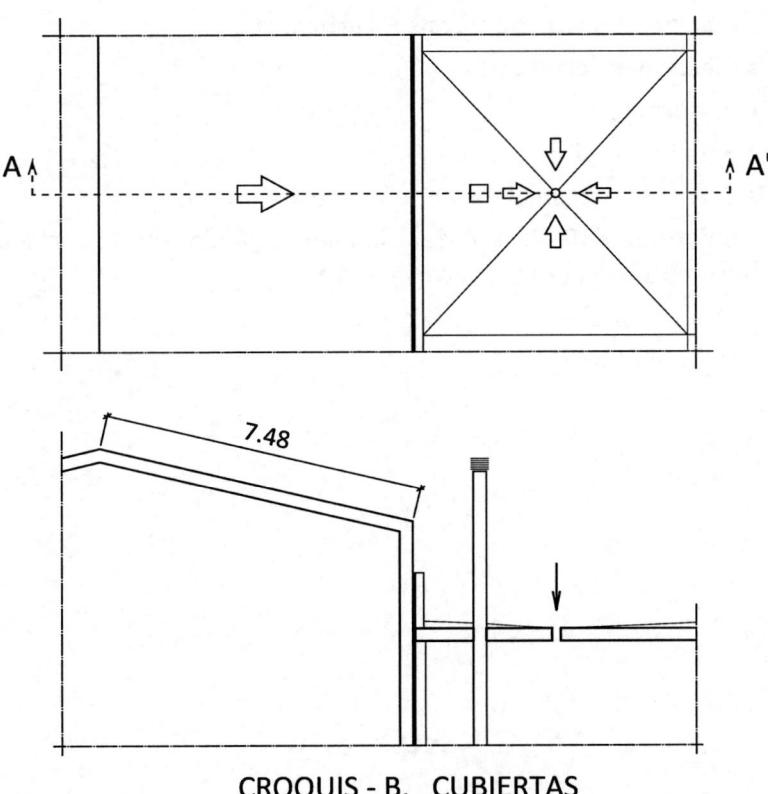

7.48

CROQUIS - B. CUBIERTAS

ENUNCIADO:

En un edificio de cuatro plantas y ático en Alcoy.

Se tiene:

- **Estructura:** Hormigón armado (masa de 400 kg/m²).
- **Particiones interiores:** Placa de yeso laminado.
- **Pavimento:**
    - **Dormitorio:** Moqueta.
    - **Baño:** El más adecuado.
    - **Pasillo:** Microcemento.
- **Falsos techos:**
    - **Dormitorio:** Escayola con entrecalle de 10 cm.
    - **Baño:** El más adecuado.
    - **Pasillo:** Placa de yeso laminado.
- **Encuentro con el terreno:**
    - **Muro de sótano:** Hormigón.
    - **Acera:** Baldosa hidráulica, en casco urbano.
    - **Grado de impermeabilidad:** 2.

Se pide:

- **BLOQUE I:** **Particiones, pavimentos, falsos techos, etc.**
    - **Realizar las secciones verticales:**
        - **Detalle A:** Dormitorio / Baño.
        - **Detalle B:** Baño / Pasillo.
        - **Detalle C:** Encuentro con el terreno. Acceso a local comercial.
    - **Justificar**, conforme al CTE, qué tipo de aislamientos (láminas antimpacto, aislamientos a ruido aéreo o térmico) deben colocarse entre:
        - Sótano / Local comercial.
        - Local comercial / Viviendas.

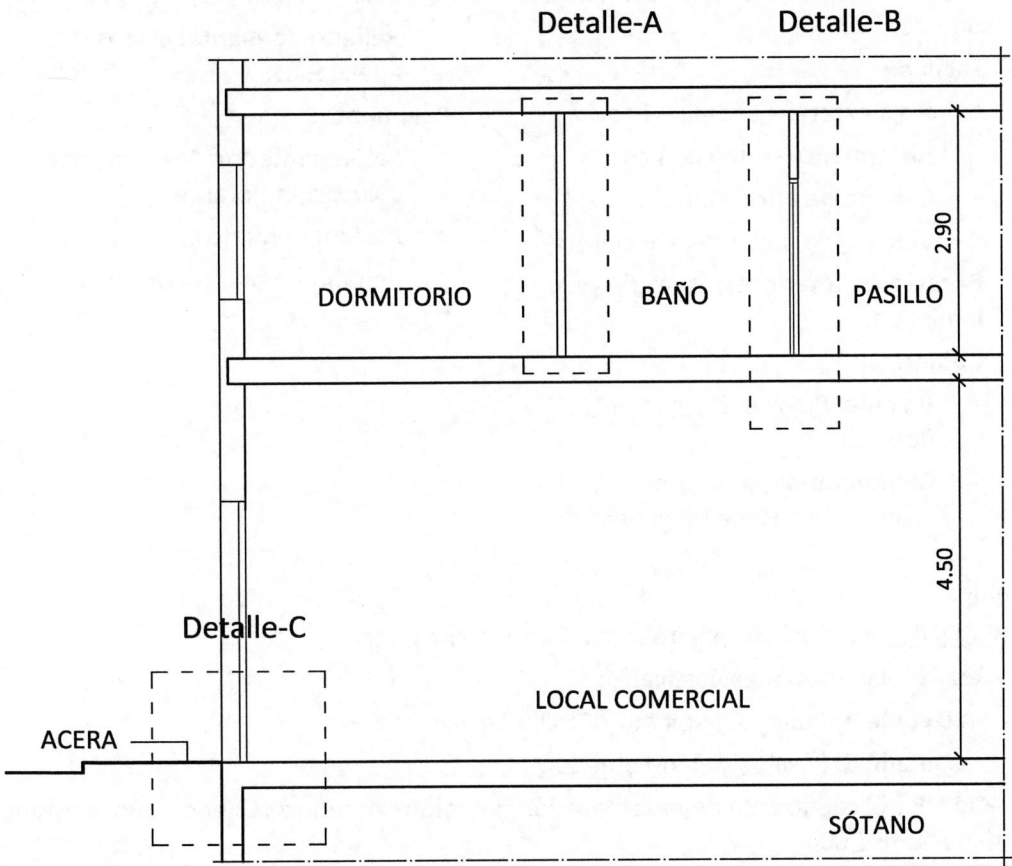

ENUNCIADO:

En un edificio de cuatro plantas y ático en Alcoy.

Se tiene:

- **Estructura:** Hormigón armado.
- **Carpintería exterior:** Madera, enrasada a la hoja interior.
- **Protección solar:** Persiana enrollable de PVC.
- **Fachada:**
  - **Hoja exterior:** Ladrillo visto.
  - **Aislamiento térmico:** 4 cm.
  - **Cámara de aire:** 4 cm.
  - **Vierteaguas:** Piedra artificial.
- **Particiones interiores:** Placa de yeso laminado.
- **Cubiertas:**
  - **Privada:** Plana con pavimento flotante.
  - **Comunitaria:** Plana con protección pesada de grava.

- **Falsos techos:**
  - **Salón-comedor:** Registrable con estructura oculta.
  - **Pasillo:** Placa de yeso laminado.
  - **Rellano de planta:** El más adecuado.
- **Pavimento:**
  - **Salón-comedor:** Madera con colocación flotante.
  - **Pasillo:** Cerámico.
  - **Rellano de planta:** Mármol.

Se pide:

- **BLOQUE I:** Particiones, pavimentos, falsos techos, etc.
  - **Realizar las secciones verticales:**
    - **Detalle A:** Rellano de planta / Pasillo de vivienda.
    - **Detalle B:** Pasillo / Salón-comedor.
  - **Calcular** el coeficiente de reverberación del salón-comedor, sabiendo que la estancia mide 4,50x5,00 m.
  - **Determinar** qué pinturas serían las más apropiadas para proteger la carpintería de madera (interior y exterior) y los elementos metálicos que dan al exterior.
- **BLOQUE II:** Cubiertas y fachadas.
  - **Realizar las secciones verticales:**
    - **Sección A-A':** Salón-comedor / Terraza privada.
    - **Sección B-B':** Fachada / Cubierta comunitaria (antepecho).

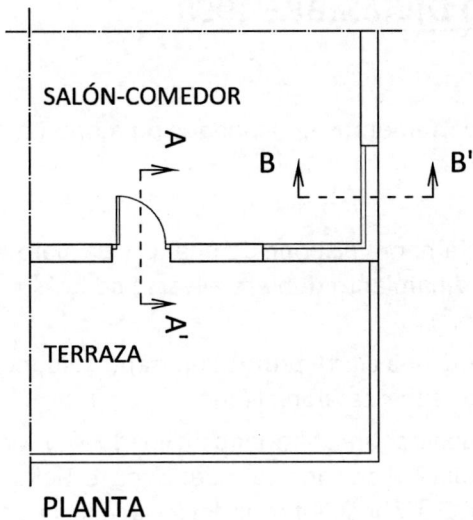

PLANTA

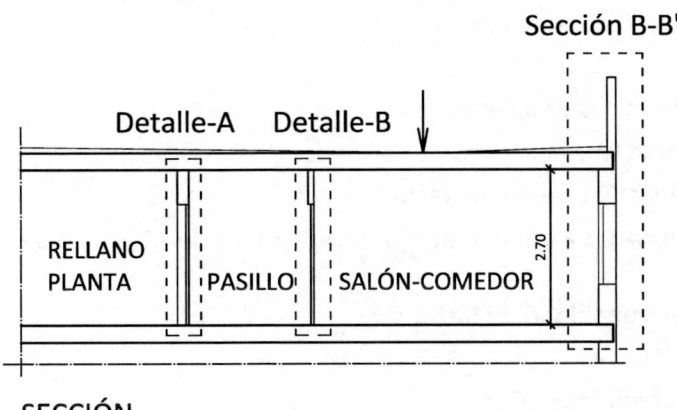

SECCIÓN

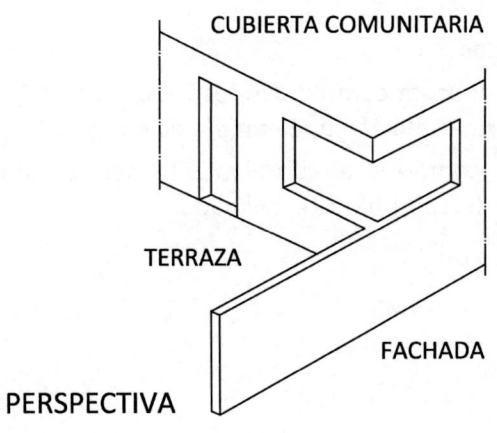

PERSPECTIVA

EXTRAORDINARIO DICIEMBRE 1998

ENUNCIADO:

Se tiene un edificio de apartamentos escalonados de montaña, situados en Granada, con las siguientes características:

▪ **Cubiertas:**

- **Plana:** Cada apartamento dispone de una terraza ajardinada de 5 m de ancho por 3 m de fondo. El ajardinamiento debe resolverse con césped salpicado de amapolas, pensamientos y geranios.

  Debe tenerse en cuenta una cierta protección frente a inundaciones y evitar que en la salida al jardín se deba subir escalón alguno.

- **Inclinada:** Se resuelve sobre un forjado inclinado a 45° y debe disponer de recogida de aguas oculta. La solución de cobertura debe ser resuelta a elección del técnico con un material duradero. El acabado interior del forjado inclinado de cubierta se resolverá con un revestimiento de madera.

▪ **Fachada:**

- **Hoja exterior:** Ladrillo visto.
- **Aislamiento térmico:** 6 cm.
- **Vierteaguas:** A criterio del técnico.
- **Carpintería:** De aluminio lacado, disponiendo de un sistema de oscurecimiento total.

▪ **Grado de impermeabilidad de fachada:**

- **Terreno tipo IV.**
- **Altura del edificio:** 20 m.

Se pide:

▪ **BLOQUE II: Cubiertas y fachadas.**

- **Comprobar** si la solución propuesta cumple con los requisitos de impermeabilidad del CTE, si no es así, plantear una solución que cumpla dichos requisitos.

- **Realizar la sección vertical**, conforme al cumplimiento del apartado anterior, del Detalle A: Cubierta plana / Fachada / Cubierta inclinada.

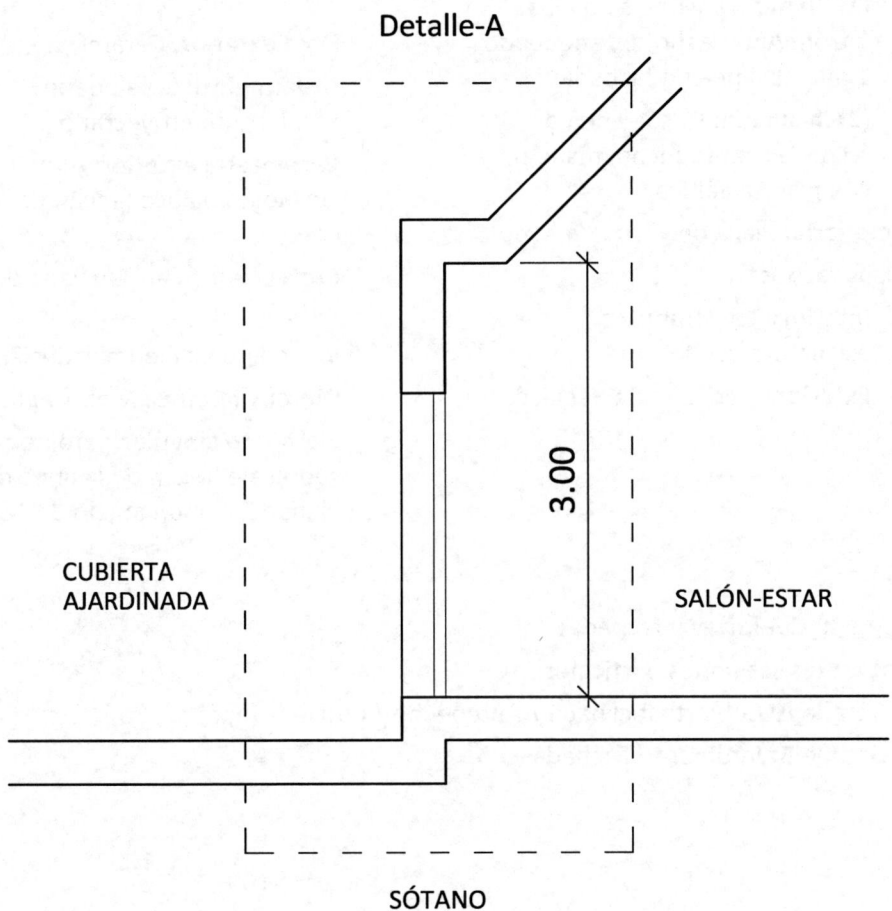

Detalle-A

CUBIERTA
AJARDINADA

3.00

SALÓN-ESTAR

SÓTANO

<u>ENUNCIADO:</u>

En un edificio de viviendas de siete alturas, situado en la ciudad de Alicante.

Se tiene:

- **Estructura:** Hormigón armado.

- **Cubierta:**
  - **(1) Plana:** Transitable con losa filtrón. Antepecho retranqueado 1 m de la línea de fachada.
  - **(2) Inclinada:** Desde línea de fachada al antepecho, resuelta con placa asfáltica.

- **Tabiquería:** Placa de yeso laminado.

- **Falsos techos:**
  - **Interior:** Registrable con estructura oculta.
  - **Exterior:** A criterio del técnico.

- **Fachada:**
  - **Revestimiento exterior:** Monocapa.
  - **Hoja exterior:** Cerámica.
  - **Aislamiento:** Si se puede, poliuretano proyectado.
  - **Carpintería exterior:** Aluminio lacado en blanco, ancho de 120 cm.
  - **Protección solar:** Persiana de PVC.
  - **Vierteaguas:** Piedra artificial.
  - **Dintel y jambas:** Monocapa.
  - **Elemento singular:** Jardinera que sobresale 50 cm de la línea de fachada, con un ancho de 180 cm.

Se pide:

- <u>BLOQUE II:</u> **Cubiertas y fachadas.**
  - **Realizar las secciones verticales:**
    - **Detalle A:** Cubierta inclinada / Antepecho / Cubierta plana.
    - **Detalle B:** Jardinera / Fachada.

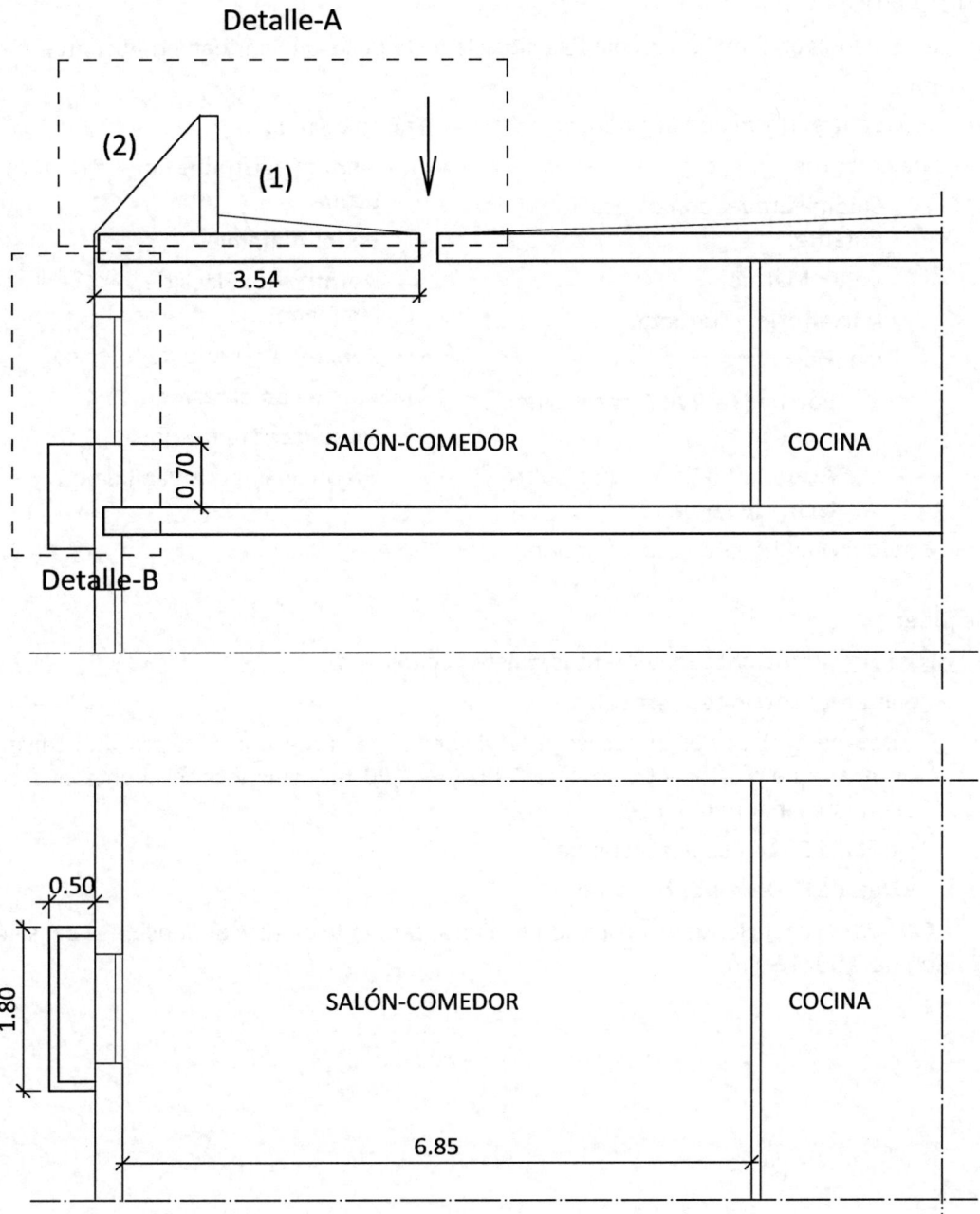

ENUNCIADO:

En una vivienda unifamiliar con parcela situada en la playa de San Juan en Alicante.

Se tiene:

- **Estructura:** Hormigón armado.

- **Pavimentos:**
  - **Salón:** Parquet con colocación flotante.
  - **Baño:** Mármol.
  - **Dormitorio:** Moqueta.
  - **Exterior:**
    - **Porche (+1,00):** A criterio del técnico.
    - **Acera (±0,00):** Adoquín sobre lecho de arena.

- **Tabiquería:** Placa de yeso laminado.

- **Falsos techos:**
  - **Salón:** Registrable con estructura oculta.
  - **Baño:** Aluminio.
  - **Dormitorio:** Placa de yeso laminado.
  - **Porche:** A criterio del técnico.

- **Encuentro con el terreno:**
  - **Muro de sótano:** Hormigón.
  - **Grado de impermeabilidad:** 2.

Se pide:

- **BLOQUE I:** Particiones, pavimentos, falsos techos, etc.

  - **Realizar las secciones verticales:**

    - **Detalle 1:** Resolver el acceso a la vivienda mediante una escalera que salve el desnivel que existe entre la cota 0,00 y + 1,00 m, teniendo en cuenta que son elementos independientes.

    - **Detalle 2:** Acceso a la vivienda.

    - **Detalle 3:** Dormitorio / Baño.

  - **Calcular** el coeficiente de absorción acústica, sabiendo que las dimensiones del salón son de 3,50x4,50 m.

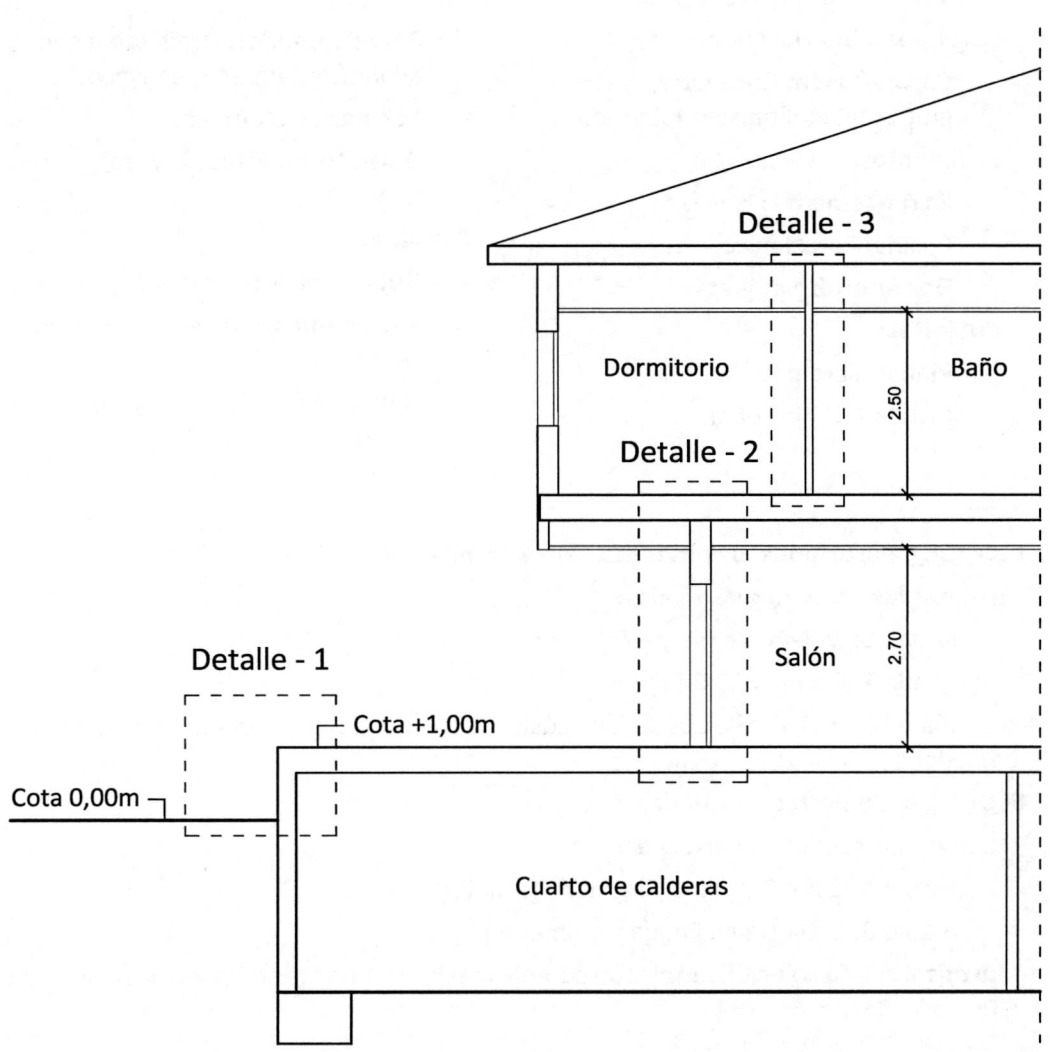

Detalle - 3

Dormitorio

Baño

2.50

Detalle - 2

Salón

2.70

Detalle - 1

Cota +1,00m

Cota 0,00m

Cuarto de calderas

ENUNCIADO:

En una vivienda unifamiliar de planta baja y dos plantas piso, situada en el casco urbano de Biar (Alicante).

Se tiene:

- **Estructura:** Hormigón armado.
- **Carpintería interior:** Roble.
  - **Cocina/Salón:** Corredera, empotrada en un solo tabique.
- **Pavimentos:**
  - **Salón-comedor:** Linóleo.
  - **Cocina:** Porcelánico.
  - **Dormitorio:** Moqueta.
- **Cubiertas:**
  - **Plana:** Ajardinada.
  - **Inclinada:** Teja curva.

- **Falsos techos:**
  - **Salón-comedor:** Registrable con acondicionamiento acústico.
  - **Cocina:** De aluminio.
  - **Dormitorio:** Placa de yeso laminado.
- **Fachada:**
  - **Hoja exterior:** Cerámica.
  - **Revestimiento exterior:** Aplacado cerámico.
  - **Hoja interior:** Placa de yeso laminado.

Se pide:

- <u>**BLOQUE I:**</u> **Particiones, pavimentos, falsos techos, etc.**
  - **Realizar las secciones verticales:**
    - **Detalle 1:** Rellano de planta / Cocina.
    - **Detalle 2:** Cocina / Salón-comedor.
  - **Calcular** el coeficiente de absorción acústica, sabiendo que las dimensiones del salón-comedor son de 4,20x5,50 m.
- <u>**BLOQUE II:**</u> **Cubiertas y fachadas.**
  - **Realizar las secciones verticales:**
    - **Detalle A:** Cubierta plana / Fachada / Cubierta inclinada.
    - **Detalle B:** Cubierta inclinada y chimenea.
  - **Justificar** que la solución empleada cumple con los requisitos de impermeabilidad del CTE.

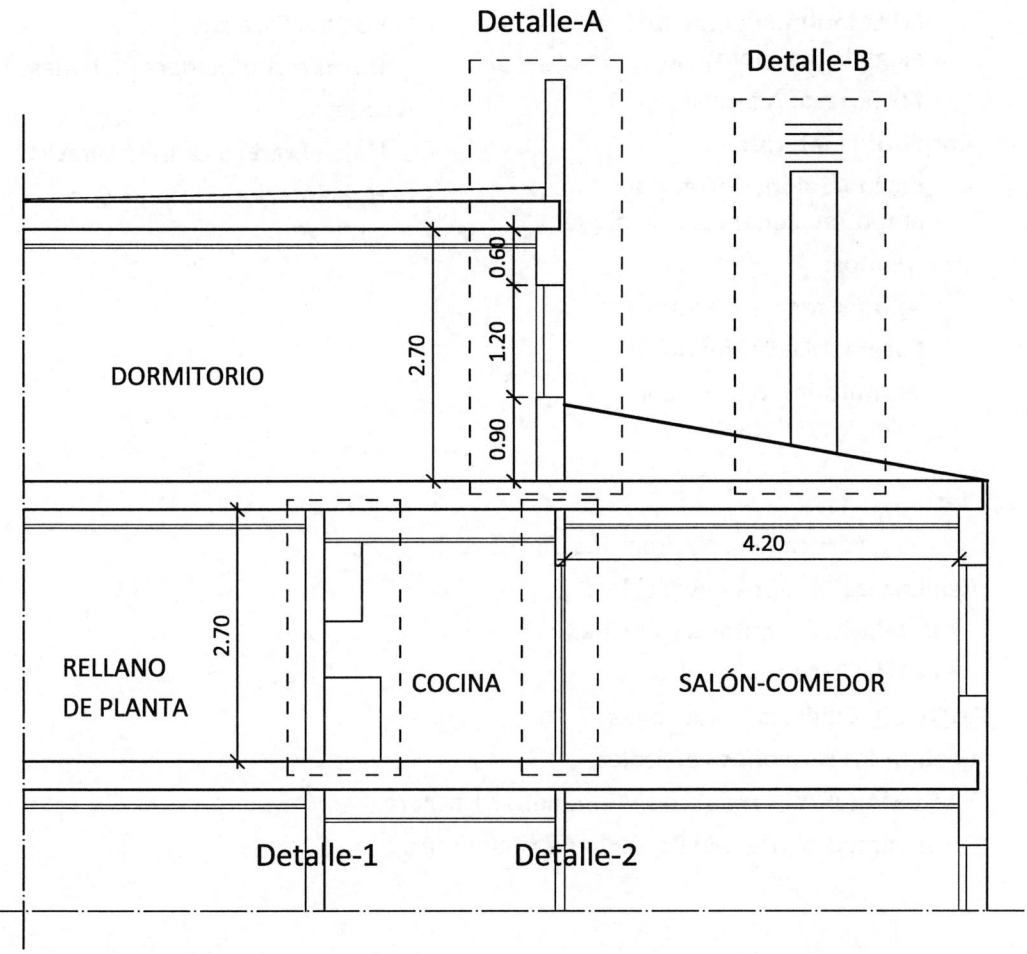

Detalle-A

Detalle-B

DORMITORIO

2.70

0.60

1.20

0.90

4.20

RELLANO
DE PLANTA

2.70

COCINA

SALÓN-COMEDOR

Detalle-1

Detalle-2

<u>ENUNCIADO:</u>

En un edificio de viviendas con un ático en la última planta.

Se tiene:

- **Estructura:** Hormigón armado.
- **Cubiertas:**
  - **(1) Solárium:** Pendiente 5 %, elegir la más apropiada.
  - **(2) Terraza:** Ajardinada.
- **Carpintería interior:**
  - **Cocina/Salón:** Corredera, empotrada en un solo tabique.
- **Pavimentos:**
  - **Salón:** Gres de 40x40 cm.
  - **Cocina:** Microcemento.
  - **Dormitorio:** Madera con colocación flotante.

- **Falsos techos:**
  - **Salón:** Placa de yeso laminado.
  - **Cocina:** Escayola.
  - **Dormitorio:** Madera en lamas.
- **Fachada:**
  - **Hoja exterior:** Ladrillo caravista.
  - **Hoja interior:** Placa de yeso laminado.

Se pide:

- <u>**BLOQUE I:**</u> **Particiones, pavimentos, falsos techos, etc.**
  - **Realizar las secciones verticales:**
    - **Detalle 1:** Dormitorio / Cocina.
    - **Detalle 2:** Cocina / Salón.
- <u>**BLOQUE II:**</u> **Cubiertas y fachadas.**
  - **Realizar las secciones verticales:**
    - **Sección A-A':** Antepecho / Sumidero / Escalera.
    - **Sección B-B'** (Detalle B): Fachada / Cubierta.

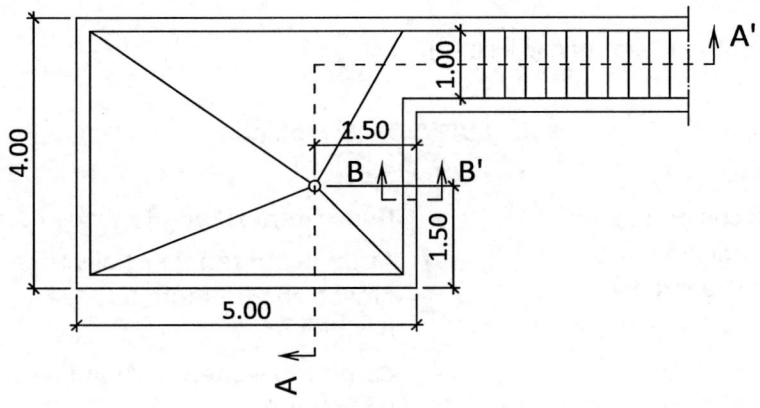

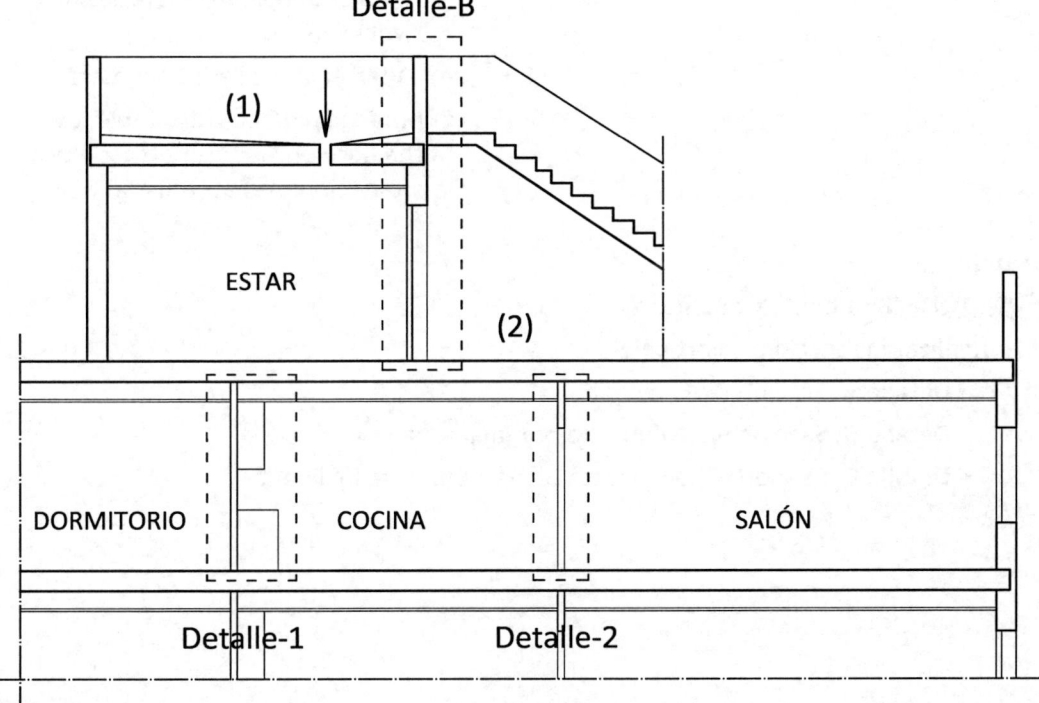

PARCIAL FEBRERO 2000

ENUNCIADO:

En dos edificios de viviendas en San Juan (Alicante).

Se tiene:

EDIFICIO – A: 7 plantas.

- **Estructura:** Metálica.
- **Cubierta:** Inclinada con pendiente de 45 %, poner la cubrición más apropiada para dicha pendiente.
- **Tabiquería:** Cerámica.

EDIFICIO – B: 8 plantas.

- **Fachada:**
  - **Hoja exterior:** Ladrillo visto.
  - **Aislamiento térmico:** Poliuretano proyectado (siempre que sea posible).
  - **Carpintería exterior:** Aluminio lacado en blanco.
  - **Protección solar:** Marquesina en voladizo.
  - **Vierteaguas:** Ladrillo a rosca.
- **Cubierta:** Plana no transitable, con borde libre en su perímetro. Colocar la protección más apropiada.

Se pide:

- **BLOQUE II:** Cubiertas y fachadas.
  - **Realizar las secciones verticales:**
    - **Detalle A:** Sección de la fachada.
    - **Detalle B:** Sección de la cubierta por la antena.
    - **Detalle C:** Sección de la cubierta plana / Cubierta inclinada.

Detalle-A

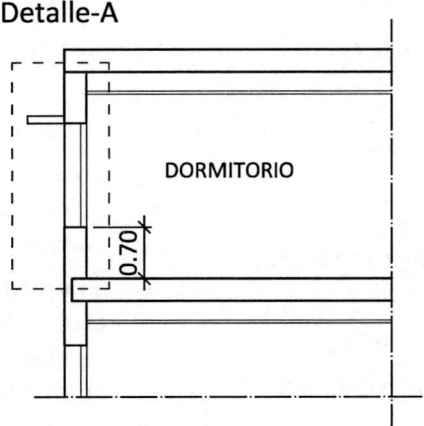

Sección: Fachadas

Edificio-B: 8 plantas

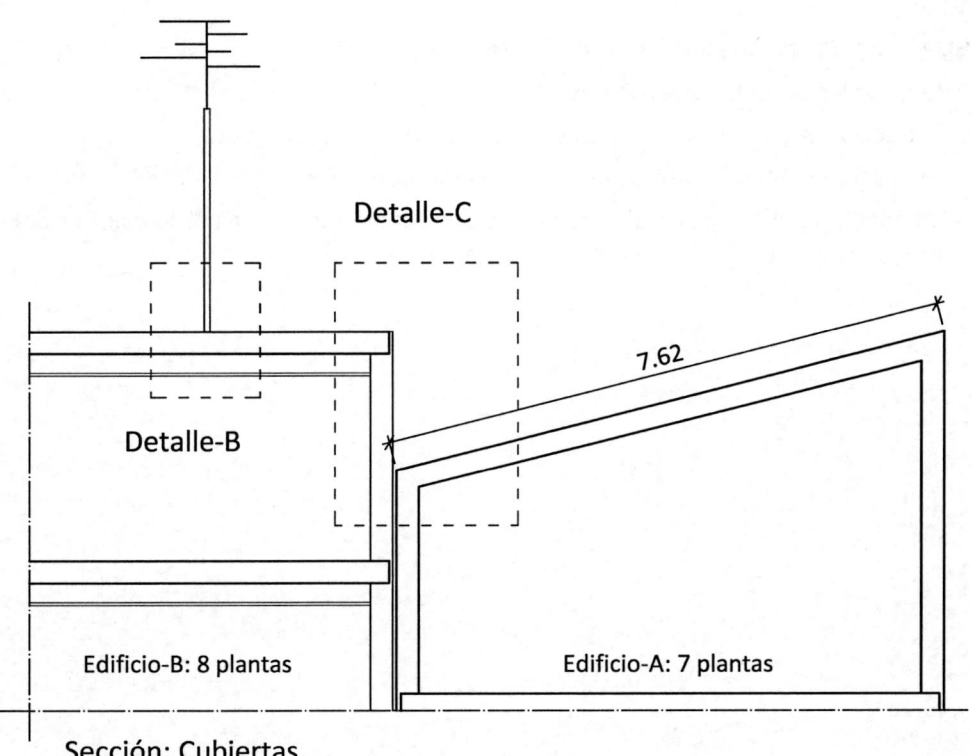

Detalle-C

Detalle-B

7.62

Edificio-B: 8 plantas

Edificio-A: 7 plantas

Sección: Cubiertas

<u>ENUNCIADO:</u>

En un edificio en la ciudad de Alicante, con cuatro plantas piso y 3 viviendas por planta.

Se tiene:

- **Estructura:** Hormigón armado.
- **Pavimentos:**
  - **Cocina:** Cerámico.
  - **Salón-comedor:** Microcemento.
  - **Vestíbulo:** Mármol.
  - **Rellano de planta:** Terrazo.
- **Tabiquería:** Placa de yeso laminado.
- **Carpintería interior:** Roble.
  - Puertas correderas empotradas en la tabiquería con un solo tabique.

- **Falsos techos:**
  - **Cocina:** Discontinuo con junta oculta, colocar solo placas enteras.
  - **Salón-comedor:** Continuo con acondicionamiento acústico de placa de yeso laminado con entrecalle de 15 cm.
  - **Vestíbulo:** Escayola.
  - **Rellano de planta:** El más adecuado.

Se pide:

- <u>BLOQUE I:</u> **Particiones, pavimentos, falsos techos, etc.**
  - **Realizar las secciones verticales:**
    - **Sección A-A':** Rellano de planta / Vestíbulo / Salón-comedor.
    - **Sección B-B':** Dormitorio / Cocina / Salón-comedor.
  - **Calcular** el coeficiente de absorción acústica, sabiendo que las dimensiones del salón son 3,60x5,80 m.

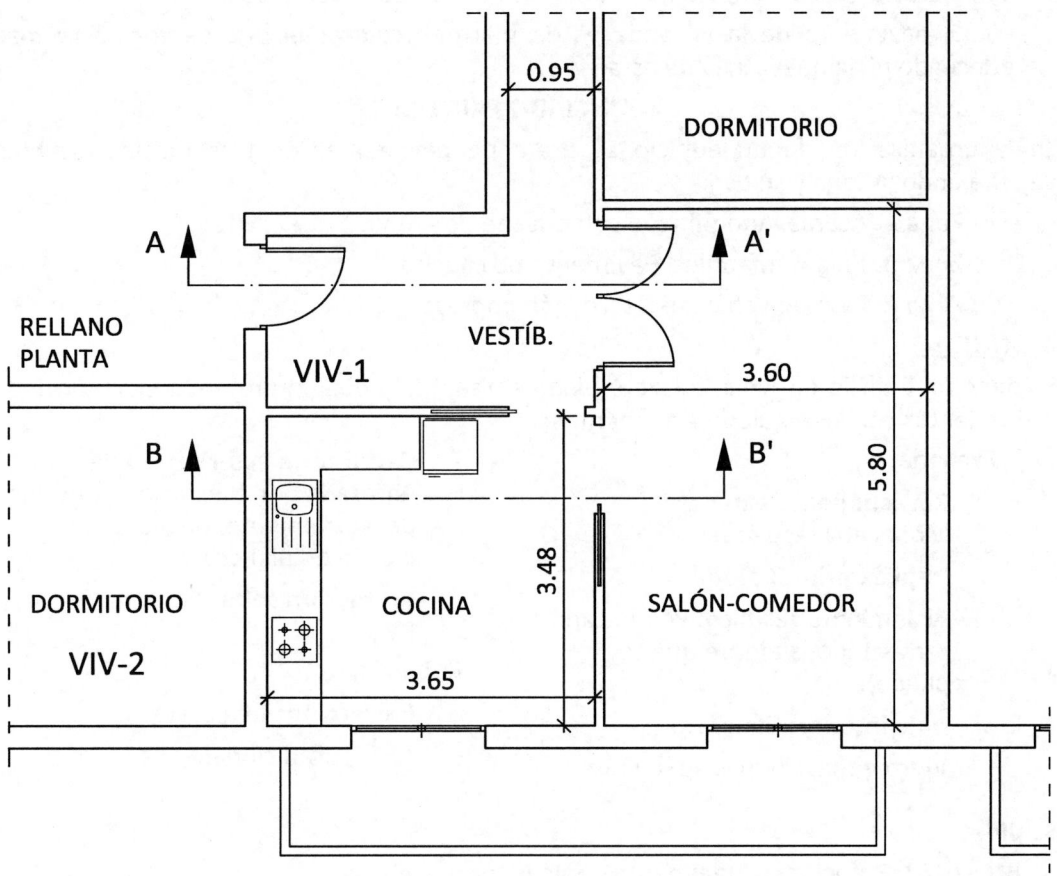

BLOQUE I

ENUNCIADO PARTE A:

En el siguiente plano de planta de un edificio hay una cocina que se quiere eliminar y transformar en una sala de estar confortable, que cumpla con los siguientes requisitos:

- Buenas condiciones acústicas: tanto en paramentos como en falsos techos.

- En los techos se mantendrán las antiguas instalaciones y podrán ser registrables con piezas de 60x60 cm, además todas las piezas deben ser enteras.

- El pavimento de la vivienda es de mármol, colocar el que se considere más adecuado en la nueva sala de estar.

ENUNCIADO PARTE B:

En la urbanización de un edificio se pretende pavimentar de tres formas distintas dependiendo la zona y su uso:

- Zona A: Aceras. Adoquinado sobre lecho de arena.

- Zona B: Juegos infantiles. Pavimento de caucho.

- Zona C: Paso de vehículos. Hormigón impreso.

BLOQUE II

Se tiene un edificio en Ávila, de siete plantas piso, en el que se pretende ejecutar unos cerramientos con los siguientes elementos:

- **Fachada:**
  - **Revestimiento exterior:** Monocapa raspado.
  - **Hoja exterior:** Cerámica.
  - **Aislamiento térmico:** Poliuretano proyectado (siempre que se pueda).
  - **Hoja Interior:** Cerámica.
  - **Vierteaguas:** El más adecuado.

- **Carpintería exterior:** Doble, enrasada por el exterior e interior del cerramiento, de aluminio lacado en blanco.
- **Protección solar:** Persiana de PVC.

- **Cubierta:**
  - **Protección:** Teja curva.
  - **Alero:** Tradicional.

Se pide:

- **BLOQUE I: Particiones, pavimentos, falsos techos, etc.**

PARTE A:

- **Realizar la sección vertical A-A':** Edificio medianero / Cocina (nueva zona de estar) / Vivienda.
- **Calcular** el coeficiente de absorción acústica de dicha estancia.

PARTE B:

- **Realizar las secciones verticales** de las zonas A, B y C; partiendo de una explanada, donde aparezcan los pavimentos anteriormente mencionados, considerando que el grado de impermeabilidad del suelo es 1.

- **BLOQUE II: Cubiertas y fachadas.**
  - **Realizar las secciones verticales:**
    - **Detalle A:** Sección fachada.
    - **Detalle B:** Sección cubierta.

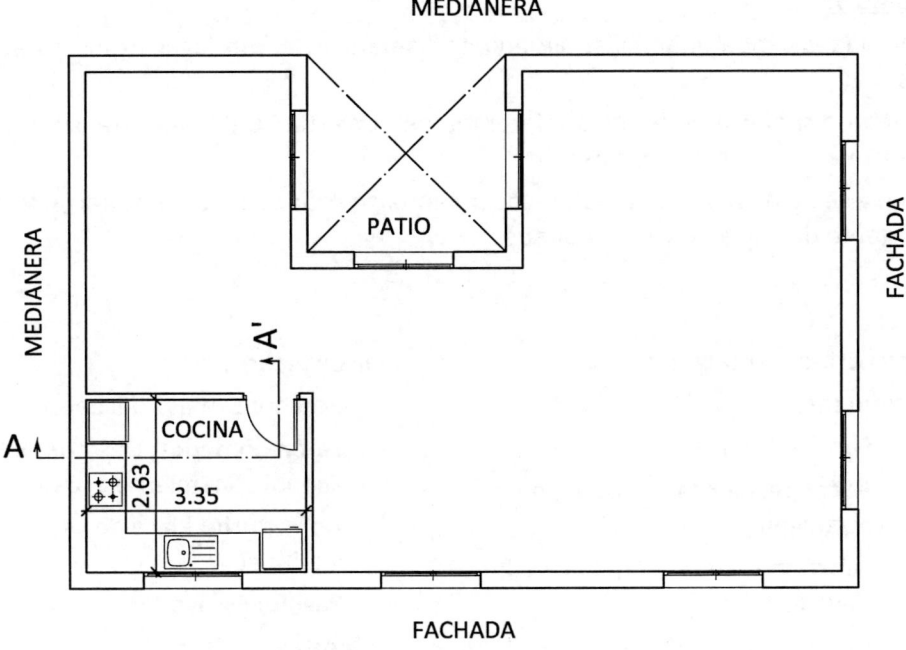

Bloque I: Particiones, revestimientos, etc.

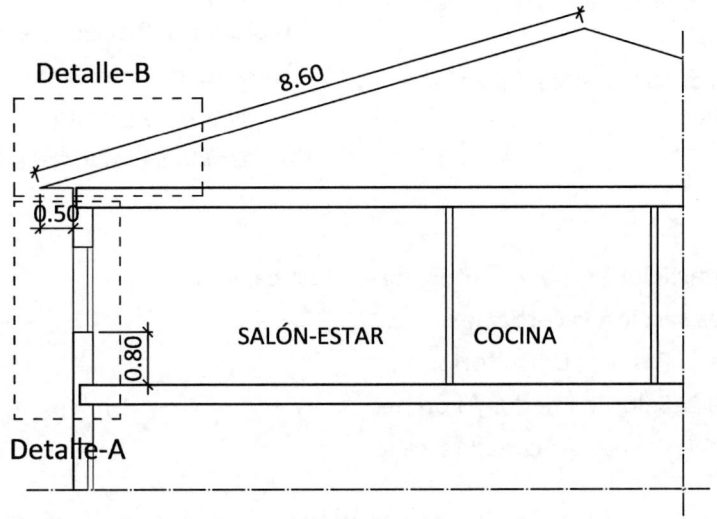

Bloque II: Cubiertas y fachadas.

ENUNCIADO:

Se tiene una vivienda unifamiliar situada en Santander, en un lugar expuesto a fuertes vientos.

La vivienda dispone de dos tipos diferentes de cubiertas, una plana transitable y otra inclinada que cubre una zona exterior.

La fachada se ha de realizar con un revestimiento exterior de piedra natural y trasdosado autoportante de placa de yeso laminado.

Se tiene:

- **Estructura:** Hormigón armado.
- **Pavimentos:**
  - **Porche:** Pizarra.
  - **Acera perimetral:** Adoquín de hormigón.
  - **Salón-comedor:** Tarima de cedro clavada.
  - **Dormitorio:** Moqueta.
  - **Distribuidor:** Cerámico.
- **Carpintería interior:** Roble.
- **Fachada:**
  - **Revestimiento exterior:** Piedra natural.
  - **Resto de elementos,** los más adecuados.

- **Falsos techos:**
  - **Porche:** El más adecuado.
  - **Salón-comedor:** Desmontable con acondicionamiento acústico.
  - **Dormitorio:** Placa de yeso laminado.
  - **Pasillo:** Escayola.
- **Cubiertas:**
  - **Plana:** Transitable con baldosa hidráulica.
  - **Inclinada:** Pendiente 15 % (cubrición, la más adecuada).
- **Tabiquería:** Placa de yeso laminado.
- **Encuentro con el terreno:**
  - **Muro de sótano:** Hormigón.
  - **Grado de impermeabilidad:** 1.

Se pide:

- **BLOQUE I:** Particiones, pavimentos, falsos techos, etc.
  - **Realizar las secciones verticales:**
    - **Detalle 1:** Pasillo / Dormitorio.
    - **Detalle 2:** Salón-comedor / Porche.
    - **Detalle 3:** Encuentro con el terreno.

- **BLOQUE II:** Cubiertas y fachadas.
  - **Realizar las secciones verticales:**
    - **Detalle A:** Cubierta plana / Fachada / Cubierta inclinada.
    - **Detalle B:** Alero cubierta inclinada.

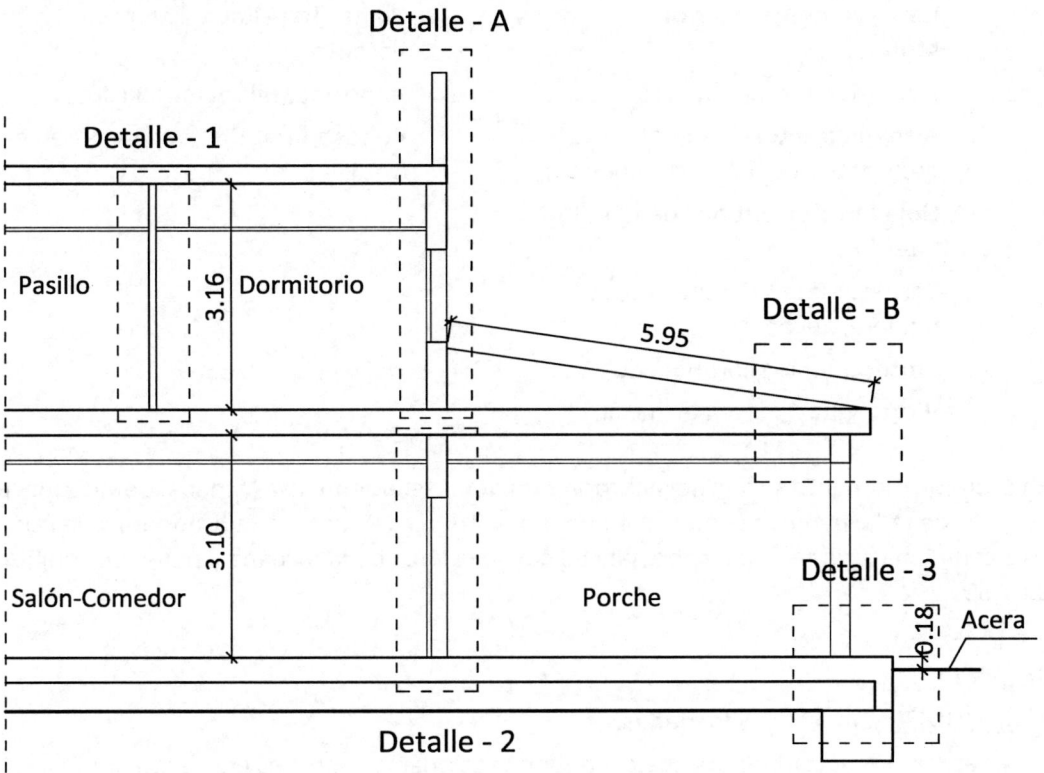

Detalle - A

Detalle - 1

Pasillo

3.16 Dormitorio

Detalle - B

5.95

Salón-Comedor

3.10

Porche

Detalle - 3

0.18 Acera

Detalle - 2

29

PARCIAL ENERO 2003

ENUNCIADO:

En una vivienda unifamiliar de dos plantas situada al borde del mar en Santa Pola (Alicante).

Se tiene:

- **Fachadas:**

  - **Revestimiento exterior:** Monocapa.

  - **Hoja exterior:** Cerámica.

  - **Aislamiento térmico:** Poliuretano proyectado de 4 cm (si se puede).

  - **Hoja interior:** Fábrica de ladrillo hueco de 7 cm.

  - **Carpintería:** PVC imitación de madera, ancho de 1,20 m.

  - **Protección:** Mallorquina de PVC.

  - **Vierteaguas:** Piedra artificial.

- **Cubierta:**

  - **Plana:** Transitable con pavimento flotante.

  - **Impermeabilización:** Bicapa.

  - **Rebosadero:** Debe aparecer en el Detalle B.

En el último momento se decide incorporar un nuevo elemento a la fachada. Como aspecto singular de la fachada se contempla que, en el hueco de ventana indicado en la sección, se ejecute una jardinera que sobresale 50 cm de la línea de la fachada y tiene una longitud de 1,80 m.

Se pide:

- **BLOQUE II: Cubiertas y fachadas.**

  - **Realizar las secciones verticales** (deben seccionarse todos los elementos):
    - **Detalle A:** Cubierta / Chimenea.
    - **Detalle B:** Cubierta / Antepecho / Fachada / Jardinera.

  - **Justificar** que la fachada cumple con el grado de impermeabilidad requerido por el CTE.

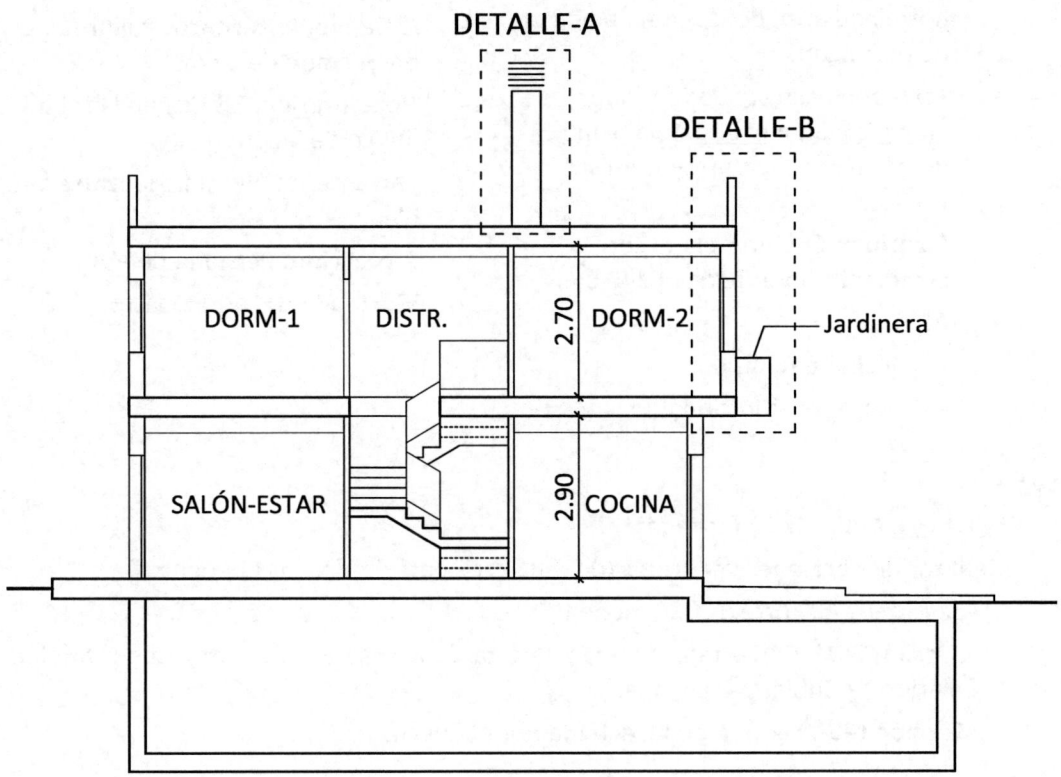

DETALLE-A

DETALLE-B

DORM-1   DISTR.   2.70   DORM-2

Jardinera

SALÓN-ESTAR   2.90   COCINA

ENUNCIADO:

Una promoción de dos viviendas unifamiliares adosadas situadas en la playa de San Juan (Alicante) se pretende realizar en dos fases y con estructuras independientes.

Se tiene:

- **Cubiertas:**
  - **Edificio:** Inclinada a dos aguas con <u>forjado inclinado</u> de hormigón armado, con teja plana de hormigón.
  - **Torreón:** Inclinada con <u>forjado plano, canalón oculto</u>, teja plana de hormigón y pararrayos en su vértice.
  - **Solárium:** Cubierta plana con pavimento flotante de 40x40 cm.
  - **Aleros:**
    - **Inclinada:** Básico.
    - **Torreón:** Tradicional.

- **Fachadas:**
  - **Hoja exterior:** Fábrica de ladrillo visto de 12 cm.
  - **Aislamiento térmico:** Poliuretano proyectado de 4 cm.
  - **Hoja interior:** Fábrica de ladrillo hueco de 7 cm.
  - **Carpintería:** Aluminio lacado en blanco.
  - **Protección:** Persiana de PVC.
  - **Vierteaguas:** Ladrillo visto.

Se pide:

- <u>**BLOQUE II:**</u> **Cubiertas y fachadas.**

  - **Realizar las secciones verticales** (deben seccionarse todos los elementos):
    - **Sección A-A':** Torreón / Chimenea.
    - **Sección B-B':** Cubierta inclinada / Puerta de acceso al solárium / Cubierta plana (solárium) / Cubierta inclinada.
    - **Sección C-C':** Sección de la fachada por el hueco.

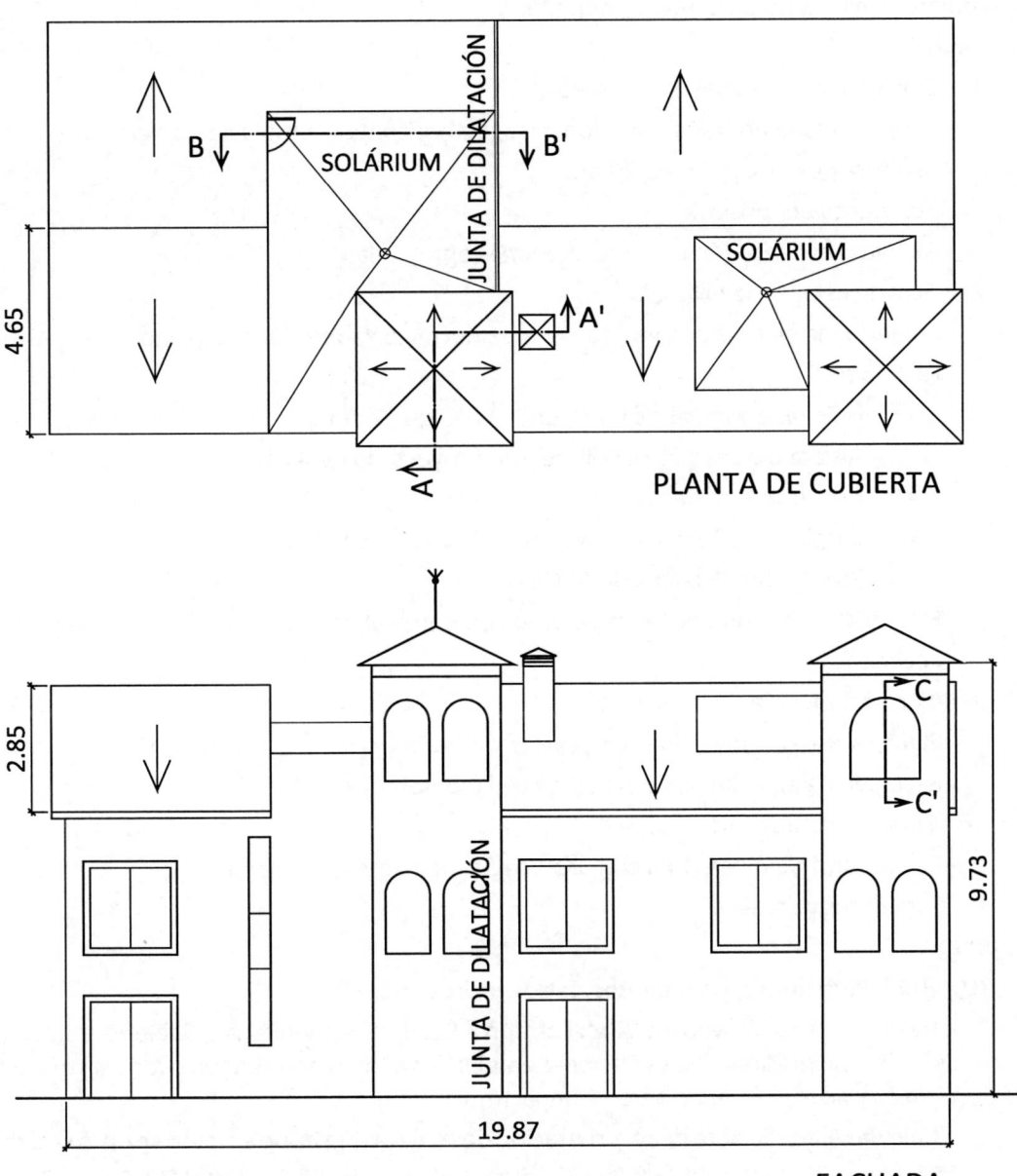

PLANTA DE CUBIERTA

FACHADA

ENUNCIADO:

Edificio de viviendas entre medianeras situado en Elche. En la última planta hay una vivienda tipo dúplex, cuyo plano de planta se adjunta.

Se tiene:

1- Sala de máquinas para ascensores:

- Cubierta plana no transitable con desagüe horizontal y protección de grava.

- La altura de la sala es de 2,20 m.

- Pavimento de terrazo.

- Fachada: la que el técnico considere más apropiada.

2- Sala de estar de la vivienda:

- Cubierta inclinada a un agua con teja de hormigón sobre forjado plano.

- Fachada:

  • Hoja exterior: Fábrica de ladrillo visto de 12 cm.

  • Aislamiento térmico: Poliuretano proyectado de 4 cm.

  • Hoja interior: Placa de yeso laminado.

  • Carpintería: Balconeras de aluminio lacado en blanco.

  • Protección: Persiana de PVC.

- Falso techo continuo de placa de yeso con entrecalle.

- Pavimento de mármol.

3- Cubierta privada de la vivienda:

- Plana transitable invertida con protección flotante.

- Recogida de agua lineal (donde indica el dibujo).

4- Cubierta comunitaria:

- Plana transitable invertida con protección mediante losa filtrón.

- Sumideros puntales.

Se pide:

▪ **BLOQUE I: Particiones, pavimentos, falsos techos, etc.**

- **Realizar la sección vertical A-A':** Torreón / Cubierta comunitaria / Cubierta privada / Estar. (Consideraciones: Las soluciones empleadas deben garantizar un buen aislamiento térmico y acústico a ruido aéreo e impacto).

- **Calcular** el coeficiente de reverberación de la placa que ha de emplearse en la sala de estar, así como el número de placas necesarias si estas tienen 60x60 cm, suponiendo que el falso techo es desmontable con acondicionamiento acústico.

▪ **BLOQUE II: Cubiertas y fachadas.**

- **Realizar la sección vertical A-A':** Torreón / Cubierta comunitaria / Cubierta privada / Sala de estar.

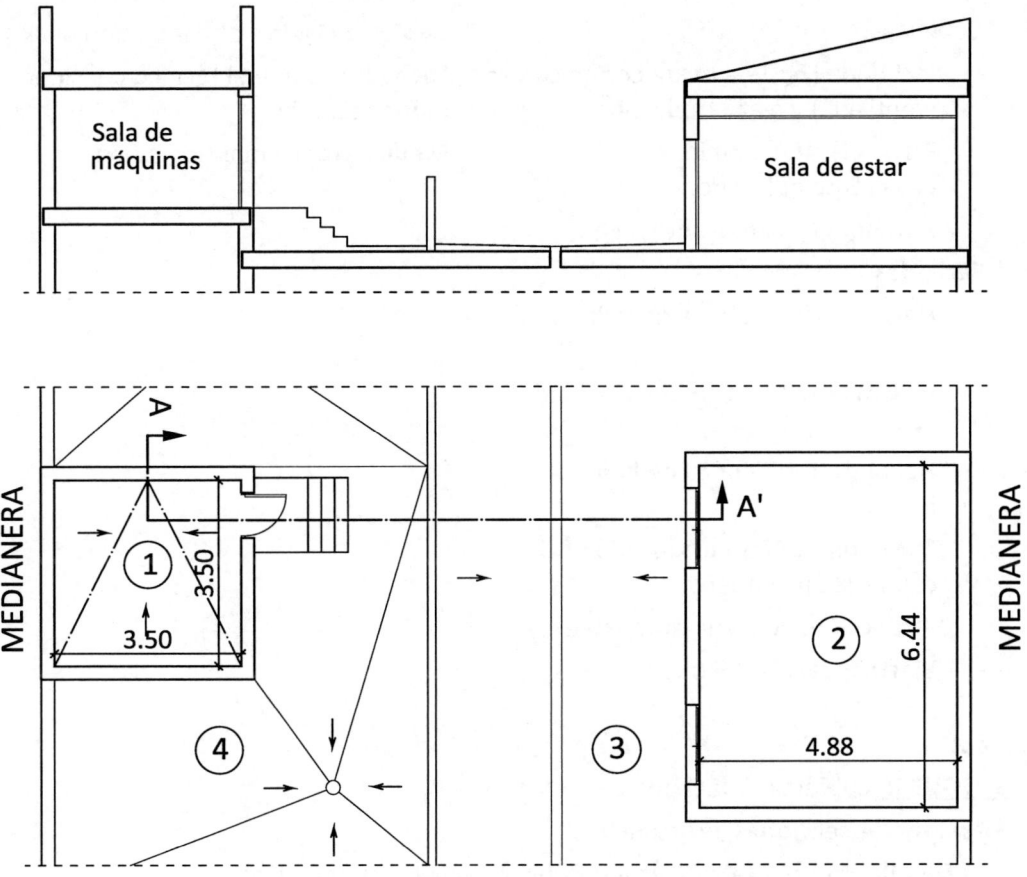

Sala de
máquinas

Sala de estar

MEDIANERA

MEDIANERA

A

A'

① 3.50

3.50

② 6.44

4.88

④

③

PARCIAL FEBRERO 2004

ENUNCIADO:

En una vivienda unifamiliar adosada a un edificio industrial en Elche (Alicante).

Se tiene:

VIVIENDA UNIFAMILIAR:

- **Estructura:** Hormigón armado.
- **Cubiertas:**
  - **Inclinada (2):** Teja mixta cerámica (ventilada) y alero tradicional.
  - **Plana (3):** Transitable con pavimento adherido.
  - **Jardinera (4):** En el antepecho.
- **Fachadas:**
  - **Hoja exterior:** Fábrica de ladrillo visto.
  - **Aislamiento térmico:** Poliestireno expandido.
  - **Hoja interior:** Fábrica de ladrillo hueco.
  - **Carpintería:** Aluminio lacado y centrada en el hueco.
  - **Protección:** Persiana enrollable.
  - **Vierteaguas:** Ladrillo visto.

EDIFICIO INDUSTRIAL:

- **Estructura:** Cerchas metálicas.
- **Cubierta (1):** Prefabricada tipo deck.
- **Fachada:** La que el técnico considere más adecuada.
- **Medianera:** La más adecuada.

Se pide:

- **BLOQUE II: Cubiertas y fachadas.**
  - **Realizar las secciones verticales:**
    - **Detalle 1:** Cubierta industrial / Cubierta vivienda unifamiliar.
    - **Detalle 2:** Alero / Fachada y salida a cubierta / Cubierta privada.
    - **Detalle 3:** Cubierta privada / Jardinera.
    - **Detalle 4:** Sección de la fachada por la ventana.

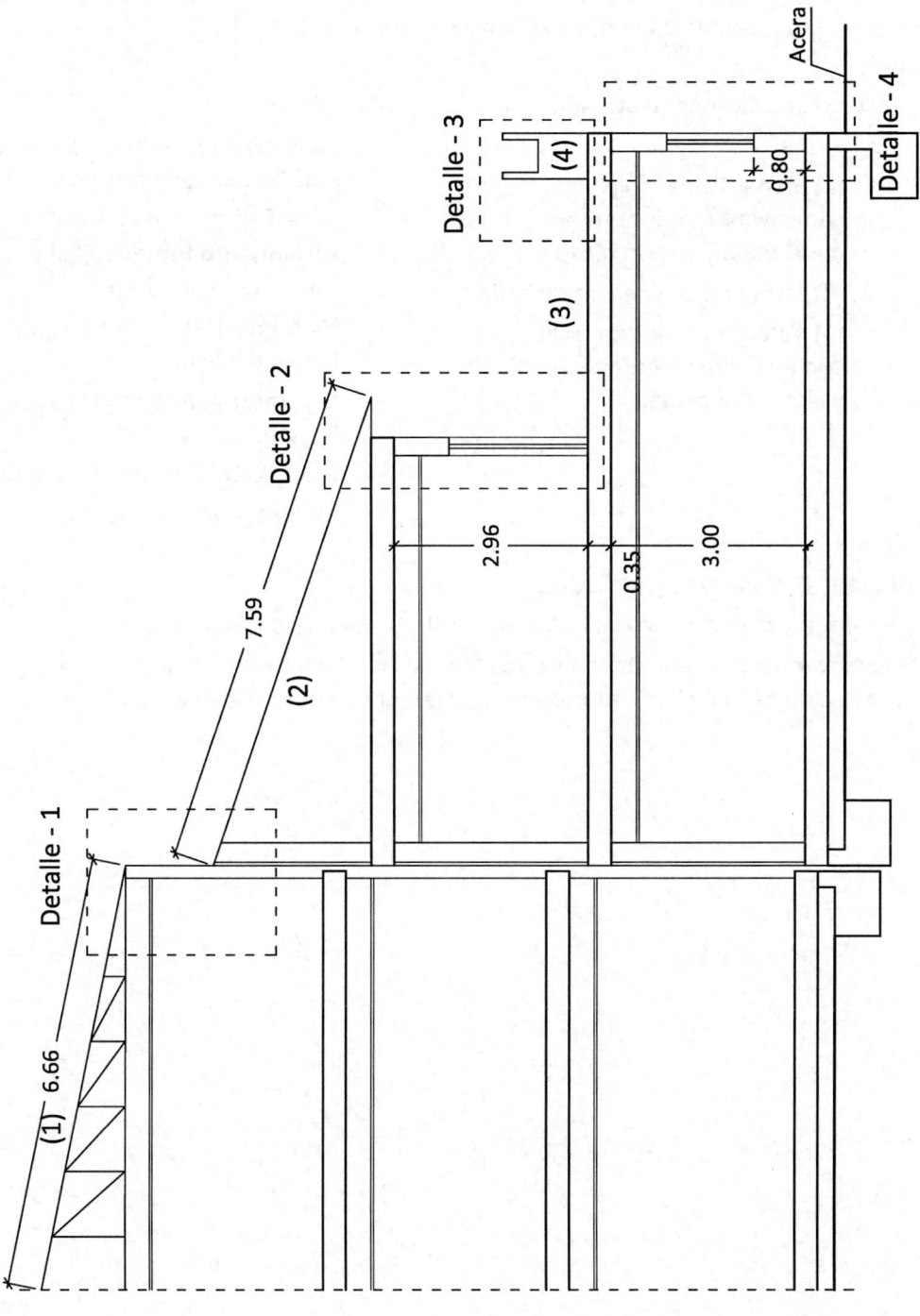

ENUNCIADO:

En una vivienda situada en la paya de San Juan (Alicante).

Se tiene:

- **Estructura:** Hormigón armado.
- **Cubiertas:**
  - **(1) Plana:** Transitable con pavimento flotante e impermeabilización bicapa.
  - **(2) Jardinera:** A línea de fachada.
  - **(3) Voladizo:** Cubierta inclinada con teja plana cerámica ventilada y alero tradicional.

- **Fachadas:**
  - **Hoja exterior:** Fábrica de ladrillo visto con cámara de aire ventilada.
  - **Aislamiento térmico:** Poliuretano proyectado de 12 cm.
  - **Hoja interior:** Fábrica de ladrillo hueco de 7 cm.
  - **Carpintería:** Aluminio lacado en blanco.
  - **Protección:** Persiana enrollable.
  - **Vierteaguas:** Ladrillo visto.

Se pide:

- **BLOQUE II: Cubiertas y fachadas.**

  - **Realizar la sección vertical A-A'** del Detalle 1: Cubiertas / Fachada.

  - **Justificar** el número de aberturas necesarias por metro cuadrado para que la ventilación de la fachada funcione correctamente, conforme se establece en el CTE.

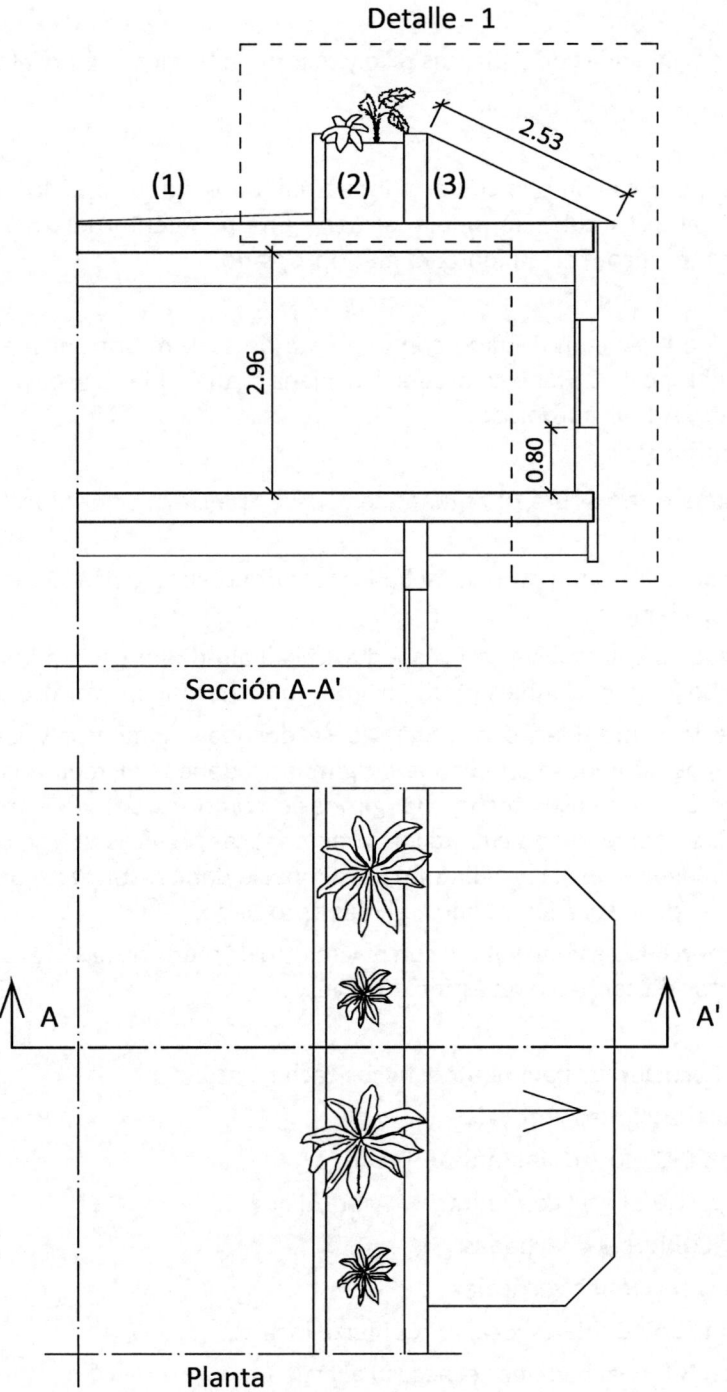

Detalle - 1

(1)   (2)   (3)

2.53

2.96

0.80

Sección A-A'

A   A'

Planta

En un edificio de viviendas de 7 plantas piso y bajos con locales comerciales.

Se tiene:

LOCAL 3:

Estructura metálica con una cubierta industrial a dos aguas, un faldón vierte el agua sobre el local 2. La cubierta industrial tiene una pendiente del 25 % y debe tener aislamiento térmico. Cerramiento, el más apropiado.

LOCAL 2:

Estructura de hormigón armado con una cota de 1,20 m por encima de la cubierta inclinada del local 3. Tiene una cubierta plana transitable con pavimento flotante. Cerramiento, el más apropiado.

EDIFICIO DE VIVIENDAS:

Las **viviendas** están sobre el zaguán, centro de transformación, local comunitario y local 1.

El **edificio** se soluciona con una fachada de ladrillo visto y particiones interiores de placa de yeso laminado.

La **urbanización** se resuelve con césped artificial alrededor de la piscina, con caucho en la zona de juegos infantiles y con pavimento de hormigón impreso en el resto.

El **local de la comunidad** o comunitario se destina a gimnasio y las separaciones de los cuartos húmedos con la zona de gimnasio deben ser realizadas con placa de yeso laminado. Los falsos techos del gimnasio como los del vestuario y baños son desmontables, teniendo en cuenta las características técnicas que se consideren más apropiadas según el uso. El pavimento del gimnasio debe resolverse con un pavimento de caucho, el de vestuarios y baños, el más apropiado.

El **local comercial 1** se deja diáfano con pavimento de mármol, falso techo desmontable y paramentos de cerámica revestidos con yeso.

Se pide:

- **BLOQUE I:** Particiones, pavimentos, falsos techos, etc.

  - **Realizar las secciones verticales:**

    - **Sección C-C':** Juegos infantiles / Escalera.

    - **Sección D-D':** Local comunitario / Aseo / Local 1.

- **BLOQUE II:** Cubiertas y fachadas.

  - **Realizar las secciones verticales:**

    - **Sección A-A':** Cubierta local 3 / Cubierta local 2.

    - **Sección B-B':** Fachada por el acceso al zaguán.

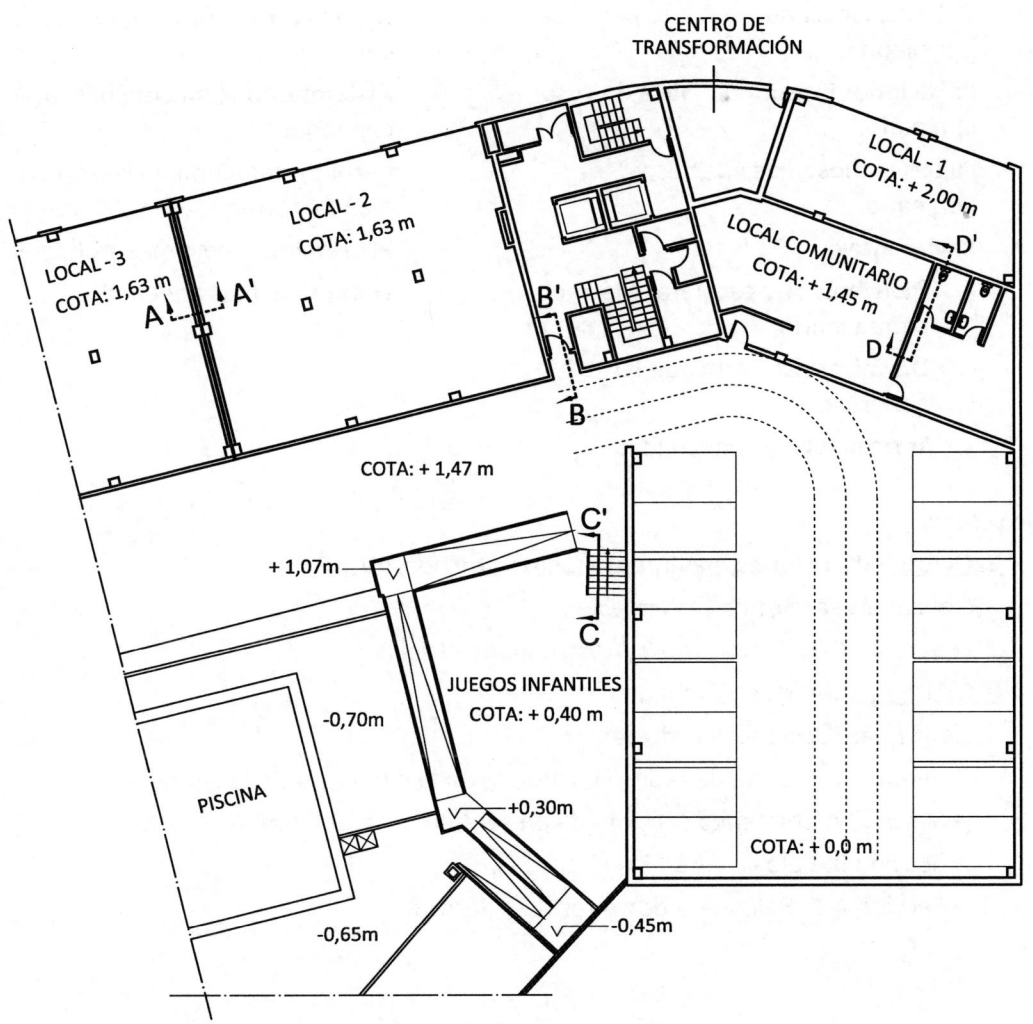

ENUNCIADO:

En una vivienda unifamiliar en Campello (Alicante).

Se tiene:

- **Estructura:** Hormigón armado.
- **Cubierta:** Inclinada con teja plana de hormigón.
- **Particiones interiores:** Placa de yeso laminado.
- **Falsos techos:** Placa de yeso laminado.
- **Pavimentos:**
  - **Distribuidor y escalera:** Mármol crema marfil.
  - **Dormitorios:** Tarima de jatoba adherida.
  - **Terraza:** El más adecuado.

- **Fachadas:**
  - **Hoja exterior:** Fábrica de ladrillo visto.
  - **Aislamiento térmico:** Poliestireno expandido.
  - **Carpintería:** Aluminio lacado en blanco, corredera de 2,50 m.
  - **Protección:** Persiana enrollable.
  - **Umbral:** El más adecuado.

Se pide:

- **BLOQUE I:** **Particiones, pavimentos, falsos techos, etc.**
  - **Realizar las secciones verticales:**
    - **Sección 6-7:** Dormitorio 2 / Distribuidor / Escalera.
- **BLOQUE II: Cubiertas y fachadas.**
  - **Realizar las secciones verticales:**
    - **Sección 1:** Antena de radio-TV (situada en la cumbrera de la cubierta).
    - **Sección 2:** Chimenea seccionada en sentido de la pendiente.
    - **Sección 3:** Celosía cerámica (fachada).
    - **Sección 4-5:** Balconera dormitorio 2 / Terraza.

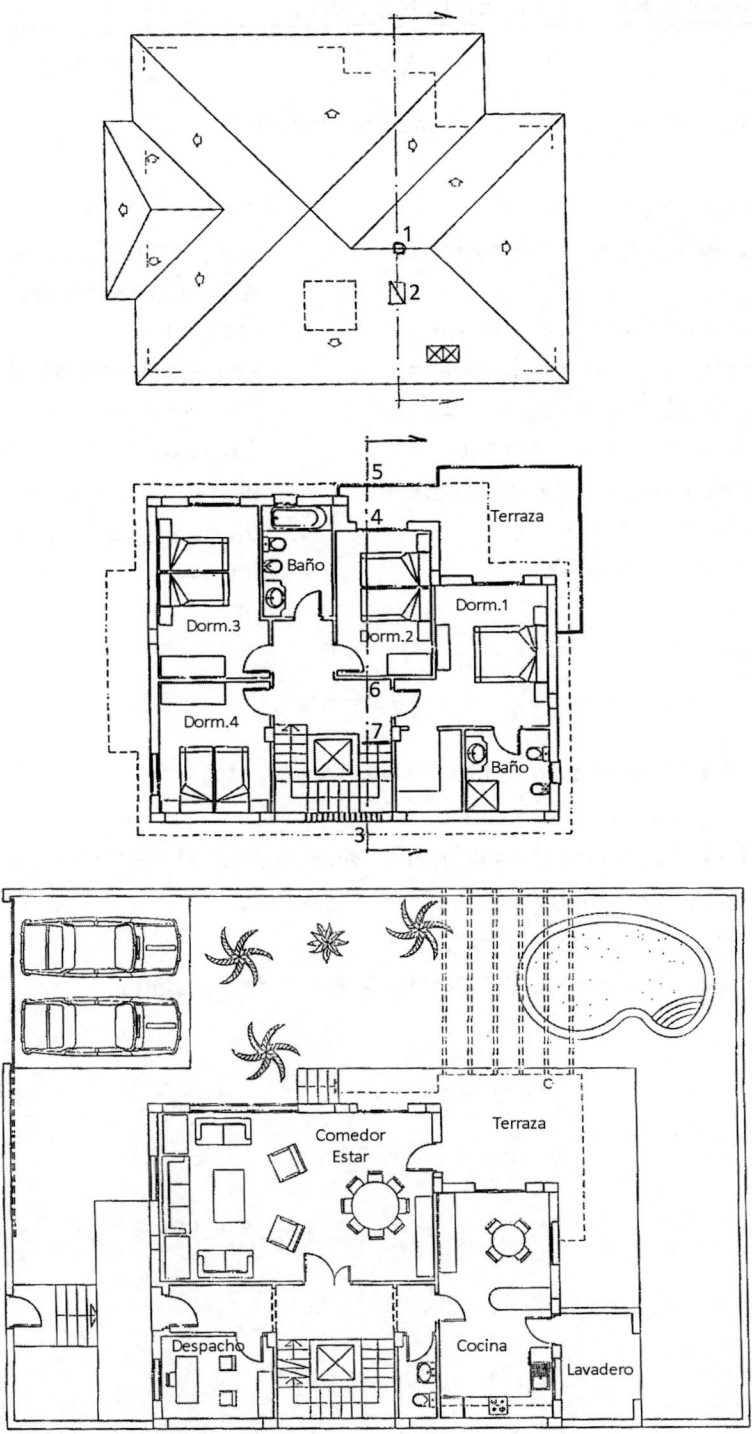

EXTRAORDINARIO NOVIEMBRE 2004

ENUNCIADO:

En una vivienda unifamiliar aislada, situada en Denia (Alicante).

Se tiene:

- **Estructura:** Hormigón armado.
- **Cimentación:** Losa de cimentación (o placa).
- **Cubierta:** Inclinada con teja mixta.
- **Particiones:** Placa de yeso laminado.
- **Pavimento:** Madera de jatoba (tanto en el interior como en el exterior).
- **Muros de contención:** De hormigón encofrados a dos caras.
- **Grado de impermeabilidad:**
  - **Muro:** 2.
  - **Suelo:** 1.

- **Fachadas:**
- **Hoja exterior:** Fábrica de ladrillo.
- **Aislamiento térmico:** Poliestireno expandido.
- **Revestimiento exterior:** Monocapa.
- **Carpintería:** Aluminio lacado.
- **Protección:** Persiana enrollable.
- **Vierteaguas:** A criterio del técnico.

Se pide:

- **BLOQUE I:** Particiones, pavimentos, falsos techos, etc.
  - **Realizar las secciones verticales:**
    - **Detalle B:** Encuentro con el terreno. Muro, losa de cimentación y acceso.
    - **Detalle C:** Dormitorio / Distribuidor.
- **BLOQUE II:** Cubiertas y fachadas.
  - **Realizar la sección vertical del Detalle A:** Cubierta / Fachada.

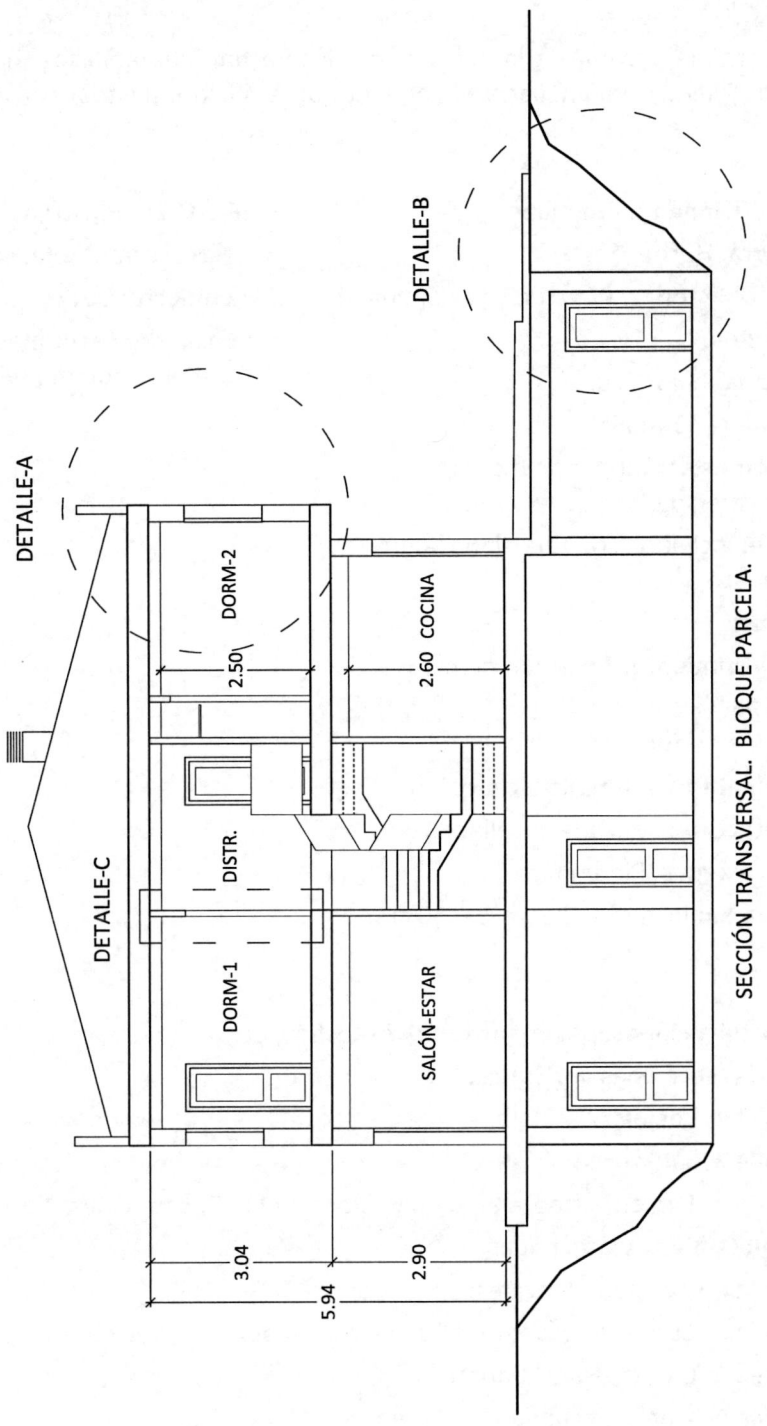

DETALLE-B

DETALLE-A

DETALLE-C

DORM-2

2.50

DORM-1

DISTR.

COCINA 2.60

SALÓN-ESTAR

3.04

5.94

2.90

SECCIÓN TRANSVERSAL. BLOQUE PARCELA.

ENUNCIADO:

Dentro de la trama urbana de la ciudad de Alicante hay dos edificios medianeros, el primero, una vivienda unifamiliar y el segundo, un edificio industrial construido en los años 60.

Se tiene:

EDIFICIO 1: Vivienda unifamiliar.

- **Estructura:** Hormigón.
- **Tabiquería interior:** Placa de yeso laminado.
- **Pavimentos:**
  - **Cocina:** Cerámico.
  - **Escalera:** Granito.
  - **Salón-estar:** Tarima de madera enrastrelada.
- **Cubierta:** Inclinada con teja plana, alero tradicional.
- **Fachadas:**
  - **Revestimiento:** Aplacado de piedra bateig.
  - **Hoja exterior:** Ladrillo cerámico.
  - **Carpintería:** Aluminio lacado.
  - **Protección:** Persiana enrollable.
  - **Vierteaguas:** Piedra bateig.
- **Jardinera:** En fachada y sobresale 50 cm.

EDIFICIO 2: Industrial.

- **Estructura:** Metálica.
- **Cubierta:** Deck prefabricada.
- **Fachada:** Cerramiento prefabricado metálico.

Se pide:

- **BLOQUE I: Particiones, pavimentos, falsos techos, etc.**
  - **Realizar las secciones verticales:**
    - **Detalle 1:** Cocina / Escalera.
    - **Detalle 2:** Salón-estar / Calle.
  - **Calcular** el aislamiento frente al ruido conforme el CTE, para el detalle 1.
- **BLOQUE II: Cubiertas y fachadas.**
  - **Realizar las secciones verticales:**
    - **Detalle A:** Cubierta industrial / Cubierta inclinada.
    - **Detalle B:** Chimenea / Cumbrera.
    - **Detalle C:** Alero / Fachada / Jardinera.

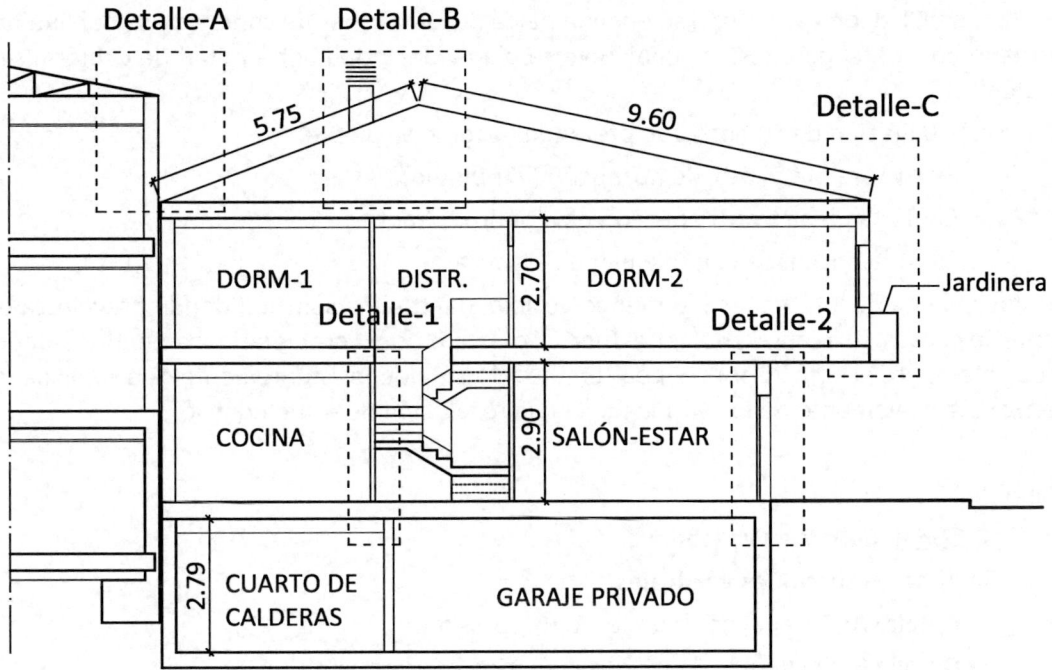

PARCIAL ENERO 2006

ENUNCIADO:

Se tiene un edificio industrial construido en los años 60, dentro de la trama urbana de la ciudad de Alicante.

Dicho edificio se quiere rehabilitar y convertirlo en una vivienda unifamiliar tipo loft.

El edificio está construido con una estructura metálica, cerramiento de bloque de hormigón y cubierta de fibrocemento.

En la rehabilitación estructural se elimina parte de las cerchas de cubierta y se habilita un forjado horizontal para formar una cubierta plana, dejando la otra mitad de cubierta sin modificar.

En la rehabilitación de cubiertas se pretende hacer lo siguiente:

- Estructura metálica y de hormigón (ver dibujo).
- Cubierta plana transitable con pavimento flotante.
- Cubierta inclinada con teja plana cerámica.

La fachada ha de intervenirse lo menos posible, dando una solución donde prevalezca el criterio constructivo para resolver el fuerte soleamiento. El propietario, habiendo visitado recientemente el edificio Torre Agbar en Barcelona, pide insistentemente que su fachada tenga algún elemento de los empleados en la resolución de dicho edificio.

Se pide:

▪ **BLOQUE II:** **Cubiertas y fachadas.**

 -**Realizar las secciones verticales:**

 • **Detalle A:** Antepecho y sumidero de cubierta.

 • **Detalle B:** Encuentro de las dos cubiertas y cerramiento.

 • **Detalle C:** Alero de la cubierta inclinada y sección de fachada por la 1ª planta.

 -**Justificar** que la fachada proyectada cumple con los requisitos del CTE.

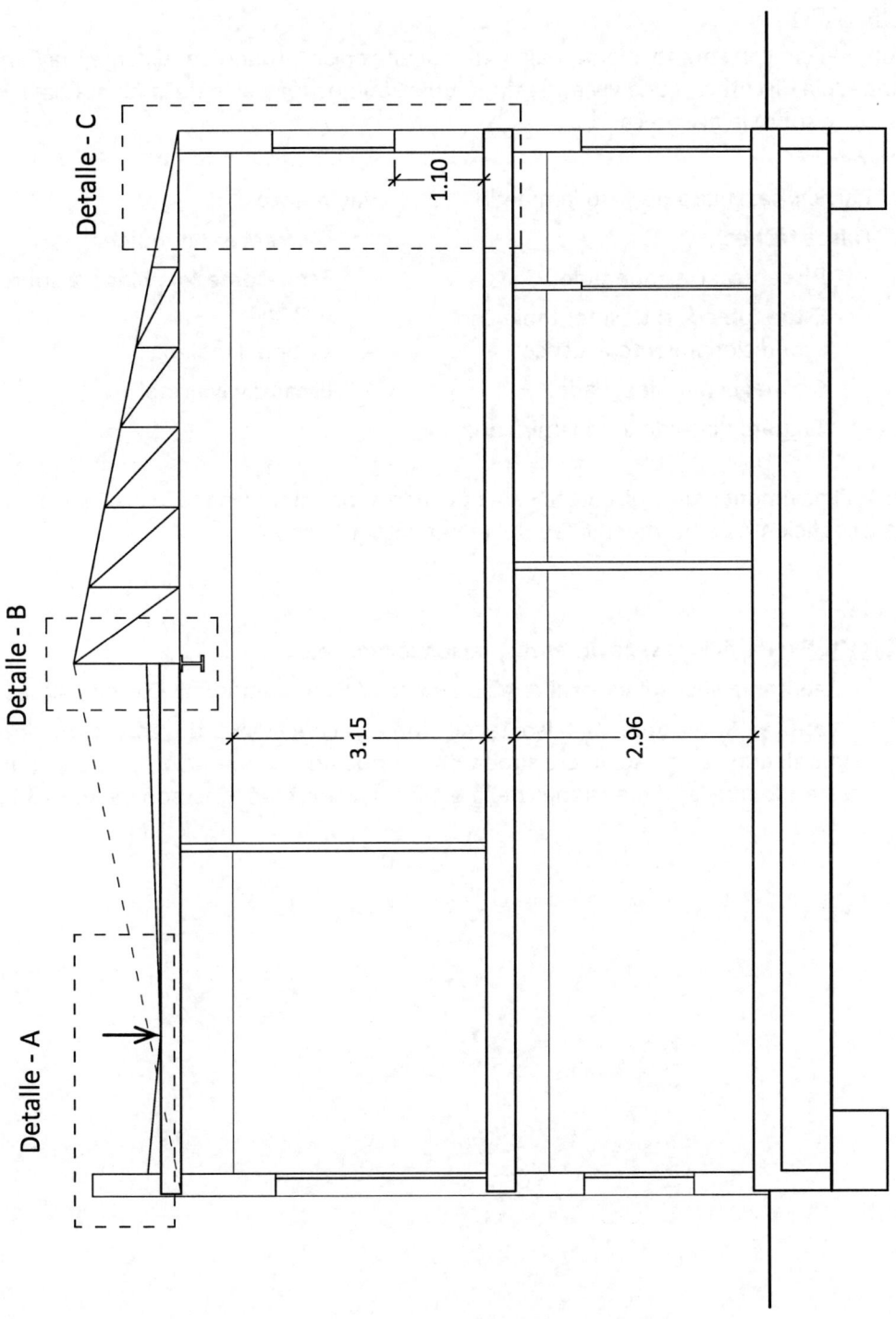

ENUNCIADO:

En un edificio con sótano, planta baja y tres plantas piso situado en Alicante, hay un local destinado a discoteca y una vivienda tipo dúplex que ocupa parte de la planta baja y en la alta recae sobre la discoteca.

Se tiene:

- **Particiones:** Placa de yeso laminado.

- **Falsos techos:**
  - **Discoteca:** Desmontable.
  - **Estar-comedor:** Desmontable con acondicionamiento acústico.
  - **Cocina:** El más adecuado.
  - **Zaguán:** Placa de yeso laminado.

- **Pavimentos:**
  - **Discoteca:** Adoquines.
  - **Estar-comedor:** Madera sobre rastreles.
  - **Cocina:** Linóleo.
  - **Escalera:** Mármol.

NOTA: El pavimento de la discoteca está apoyado sobre el terreno, con presencia de agua baja y coeficiente de permeabilidad del terreno $K_s > 10^{-5}$ cm/s.

Se pide:

- **BLOQUE I: Particiones, pavimentos, falsos techos, etc.**

  - **Realizar la sección vertical A-A':** Discoteca / Estar-comedor / Cocina / Acceso.

  - **Verificar** si es apto el falso techo con un coeficiente de absorción de 0,33, suponiendo que no se quiere superar el tiempo de reverberación de 1,2 segundos y sabiendo que las dimensiones de la estancia (estar-comedor) son de 6,34x3,50 m.

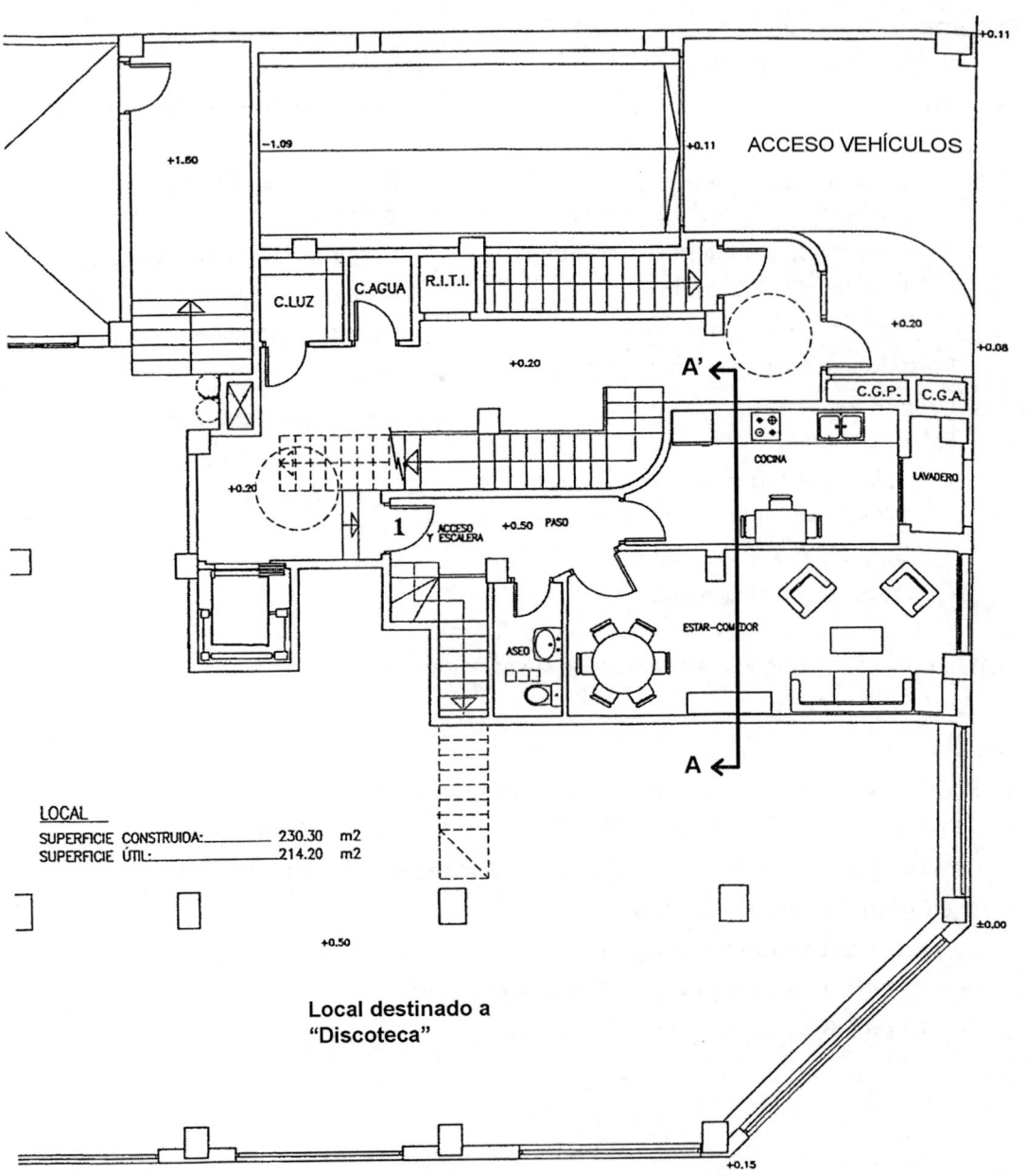

ACCESO VEHÍCULOS

+0.11
+1.50
−1.09
+0.11
+0.20
+0.08
C.LUZ
C.AGUA
R.I.T.I.
C.G.P.
C.G.A.
+0.20
A'
COCINA
LAVADERO
+0.20
+0.20
1
ACCESO Y ESCALERA
+0.50
PASO
ASEO
ESTAR−COMEDOR
A

LOCAL
SUPERFICIE CONSTRUIDA:_____ 230.30 m2
SUPERFICIE ÚTIL:_____ 214.20 m2

±0.00

+0.50

**Local destinado a
"Discoteca"**

+0.15

51

ENUNCIADO:

En un edificio de viviendas, hay un ático con las siguientes características.

Se tiene:

- **Estructura:** Hormigón armado.
- **Cubiertas:**
  - **Plana privada:** Ajardinada.
  - **Plana comunitaria:** Transitable con pavimento flotante. En la cubierta hay un depósito de agua con una capacidad de 4 m³.
  - **Inclinada:** Teja cerámica.
- **Particiones interiores:** Placa de yeso laminado.
- **Falsos techos:**
  - **Salón:** Desmontable con acondicionamiento acústico.
  - **Baño:** El más apropiado.
  - **Dormitorios:** Escayola.

- **Fachadas:**
  - **Hoja exterior:** Fábrica de ladrillo visto.
  - **Aislamiento térmico:** A criterio del técnico.
  - **Carpintería:** Aluminio lacado.
  - **Protección:** Persiana enrollable.
  - **Dintel:** Ladrillo visto a soga.
- **Pavimentos:**
  - **Salón-comedor:** Mármol.
  - **Baño:** El más apropiado.
  - **Dormitorios:** Corcho.

NOTA: Considerar que los sanitarios son suspendidos.

Se pide:

- **BLOQUE I: Particiones, pavimentos, falsos techos, etc.**
  - **Realizar la sección vertical A-A':** Salón-comedor / Baño / Dormitorio 2.
  - **Calcular** el coeficiente de absorción del falso techo del Salón-comedor.
- **BLOQUE II: Cubiertas y fachadas.**
  - **Realizar las secciones verticales:**
  - **Detalle A:** Terraza privada / Fachada / Cubierta.
  - **Detalle B:** Cubierta / Depósito de agua.

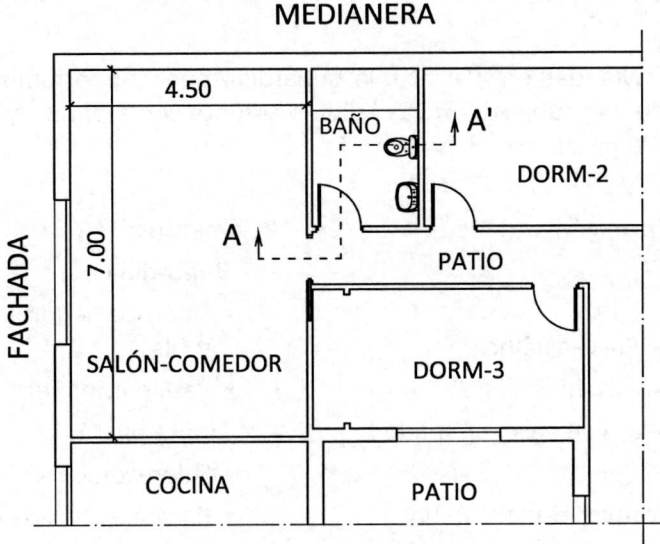

Bloque I. Particiones, pavimentos, etc.

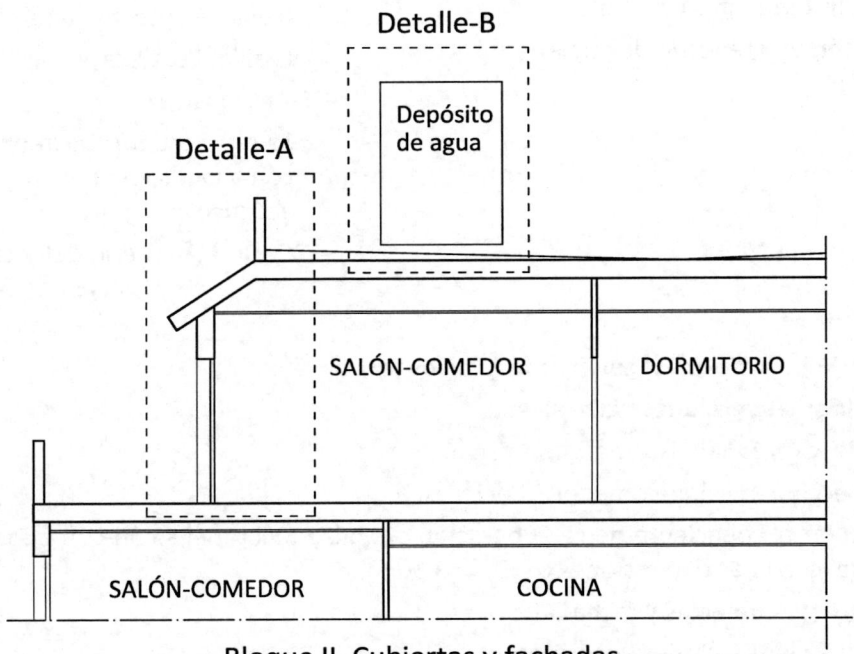

Bloque II. Cubiertas y fachadas.

EXTRAORDINARIO DICIEMBRE 2006

En un edificio de viviendas en Alicante, la buhardilla tiene su cerramiento de fachada inclinado, formando una cubierta a 45°. El dibujo adjunto corresponde a la sección por la buhardilla y la planta piso 5.

Se tiene:

- **Estructura:** Hormigón armado (masa de 350 kg/m²).

- **Cubiertas:**
    - **Inclinada:** Placa asfáltica.
    - **Plana:** Baldosa hidráulica.

- **Particiones:** Placa de yeso laminado.

- **Fachadas:**
    - **Fachada convencional** con un revestimiento continuo industrial.
    - **Protección solar:** Persiana.
    - **Carpintería:** Aluminio corredera, ancho de 1,50 m.

- **Carpintería interior:** Roble.

- **Balcón y antepecho** de cubierta de obra.

- **Pavimentos:**
    - **Buhardilla:**
        - Salón-comedor: Laminado de roble.
        - Pasillo: Moqueta.
    - **Planta piso 5:**
        - Salón-comedor: Mármol.
        - Cocina: A criterio del técnico.
        - Balcón: Cerámico.

- **Falsos techos:**
    - **Buhardilla:**
        - Salón-comedor: Continuo de placa de yeso laminado.
        - Pasillo: Escayola.
    - **Planta piso 5:**
        - Salón-comedor: Desmontable con acondicionamiento acústico.
        - Cocina: A criterio del técnico.

Se pide:

- <u>BLOQUE I:</u> **Particiones, pavimentos, falsos techos, etc.**
    - **Realizar las secciones verticales:**
        - **Sección 1:** Salón-comedor / Pasillo.
        - **Sección 2:** Salón-comedor / Cocina.
    - **Calcular** el coeficiente de reverberación del falso techo del salón-comedor en la 5ª planta, con unas dimensiones de 6,34x3,50 m.

- <u>BLOQUE II:</u> **Cubiertas y fachadas.**
    - **Realizar las secciones verticales:**
        - **Detalle A:** Sección por la 5ª planta.
        - **Detalle B:** Sección por la buhardilla.

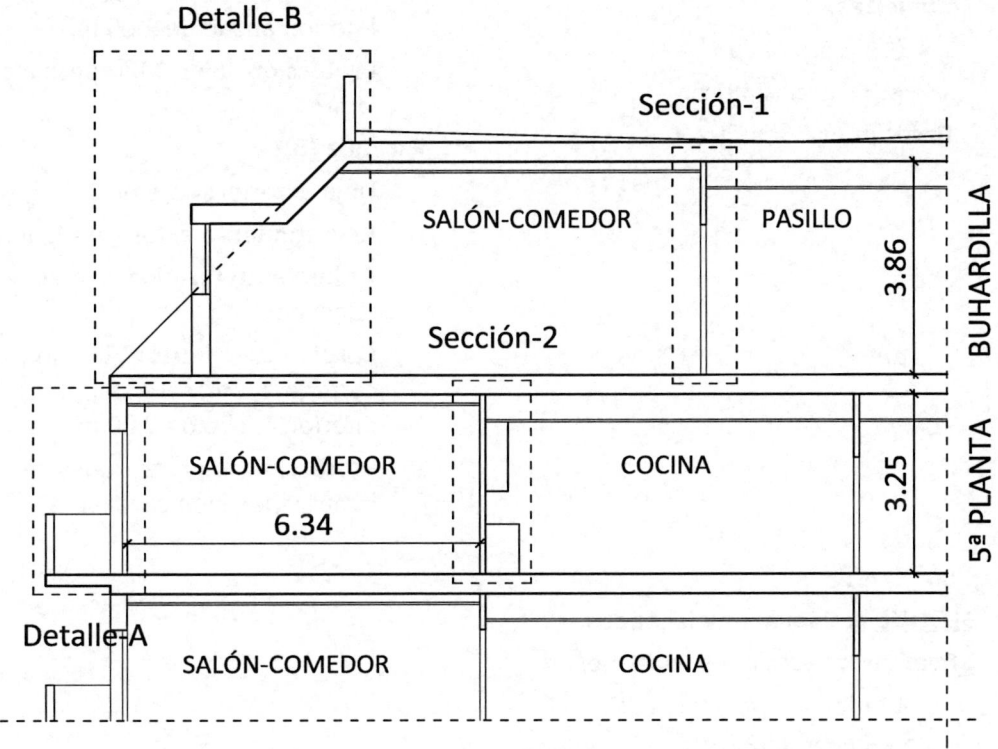

ENUNCIADO:

En una vivienda unifamiliar tipo dúplex, de planta baja y dos plantas piso en Madrid.

Se tiene:

- **Estructura:**
  - **Inclinada:** Hormigón armado.
  - **Plana:** Hormigón armado.
  - **Soportes:** Metálicos.
- **Cubiertas:**
  - **(1):** Ajardinada.
  - **(2):** Placa asfáltica.
- **Particiones:** Cerámica.

- **Fachada (A): Tradicional.**
  - **Hoja exterior:** Prefabricada con panel sándwich.
  - **Carpintería exterior:** Aluminio corredera, enrasada por el interior, ancho de 2,00 m.
  - **Protección solar:** Marquesina con lamas.
- **Fachada (B):**
  - **Hoja exterior:** Cerámico.
  - **Revestimiento exterior:** Madera.
  - **Aislamiento térmico:** El más adecuado.
  - **Carpintería exterior:** Aluminio corredera, enrasada por el interior, ancho de 2,00 m.
  - **Protección solar:** Marquesina con lamas y persiana enrollable.

Se pide:

- **BLOQUE II: Cubiertas y fachadas.**
  - **Realizar las secciones verticales:**
    - **Detalle 1:** Alero y fachada.
    - **Detalle 2:** Antepecho y sumidero.
    - **Detalle 3:** Fachada.

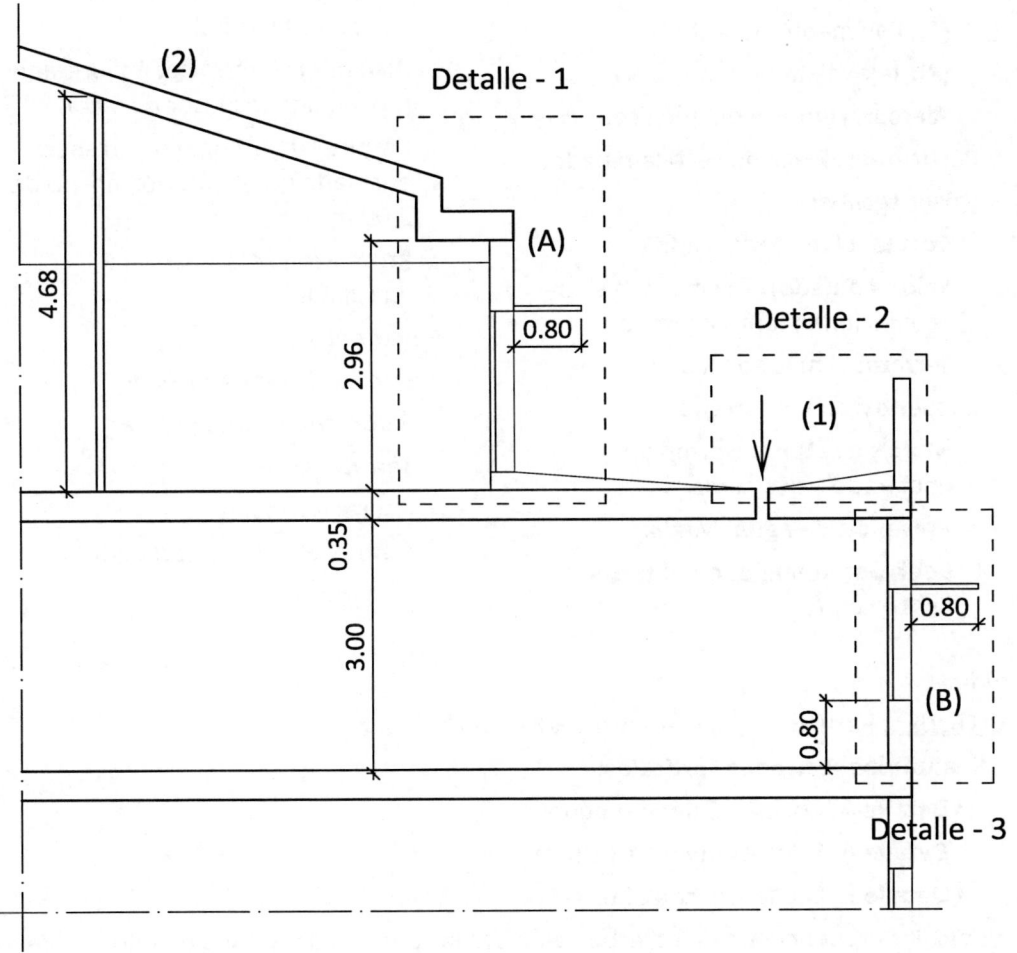

ENUNCIADO:

En una vivienda unifamiliar ubicada en Santa Pola próxima al mar.

Se tiene:

- **Estructura:** Hormigón armado.
- **Cubiertas:**
  - **(1):** Pavimento flotante.
  - **(2):** Teja mixta.
  - **Aleros:** A criterio del técnico.
- **Particiones:** Placa de yeso laminado.
- **Falsos techos:**
  - **Cocina:** El más adecuado.
  - **Salón-comedor:** Desmontable con acondicionamiento acústico.
  - **Terraza:** El más adecuado.
- **Encuentro con el terreno:**
  - **Muro de sótano:** Hormigón, encofrado a dos caras.
  - **Presencia de agua:** Media.
  - **Coef. permeabilidad del terreno:** $Ks \leq 10^{-5}$ cm/s.

- **Fachadas:**
  - **Revestimiento exterior:** Aplacado con piedra natural.
  - **Aislamiento térmico:** Poliuretano proyectado (espesor de 5 cm).
  - **Carpintería:** Aluminio corredera, enrasada por el interior, ancho de 2,00 m.
  - **Protección solar:** Persiana enrollable.
- **Pavimentos:**
  - **Cocina:** El más adecuado.
  - **Salón-comedor:** Madera.
  - **Terraza:** Gres.
  - **Acera:** Adoquín.
  - **Garaje:** Solera de hormigón.

Se pide:

- **BLOQUE I:** Particiones, pavimentos, falsos techos, etc.
  - **Realizar las secciones verticales:**
    - **Detalle A:** Cocina / Salón-comedor.
    - **Detalle B:** Salón-comedor / Terraza.
    - **Detalle C:** Encuentro con el terreno.
  - **Calcular** el coeficiente de reverberación del falso techo del salón-comedor, sabiendo que las dimensiones de la estancia son de 5,00x3,50 m.
- **BLOQUE II:** Cubiertas y fachadas.
  - **Realizar las secciones verticales:**
    - **Detalle 1:** Cubierta plana / Inclinada
    - **Detalle 2:** Alero / Fachada.

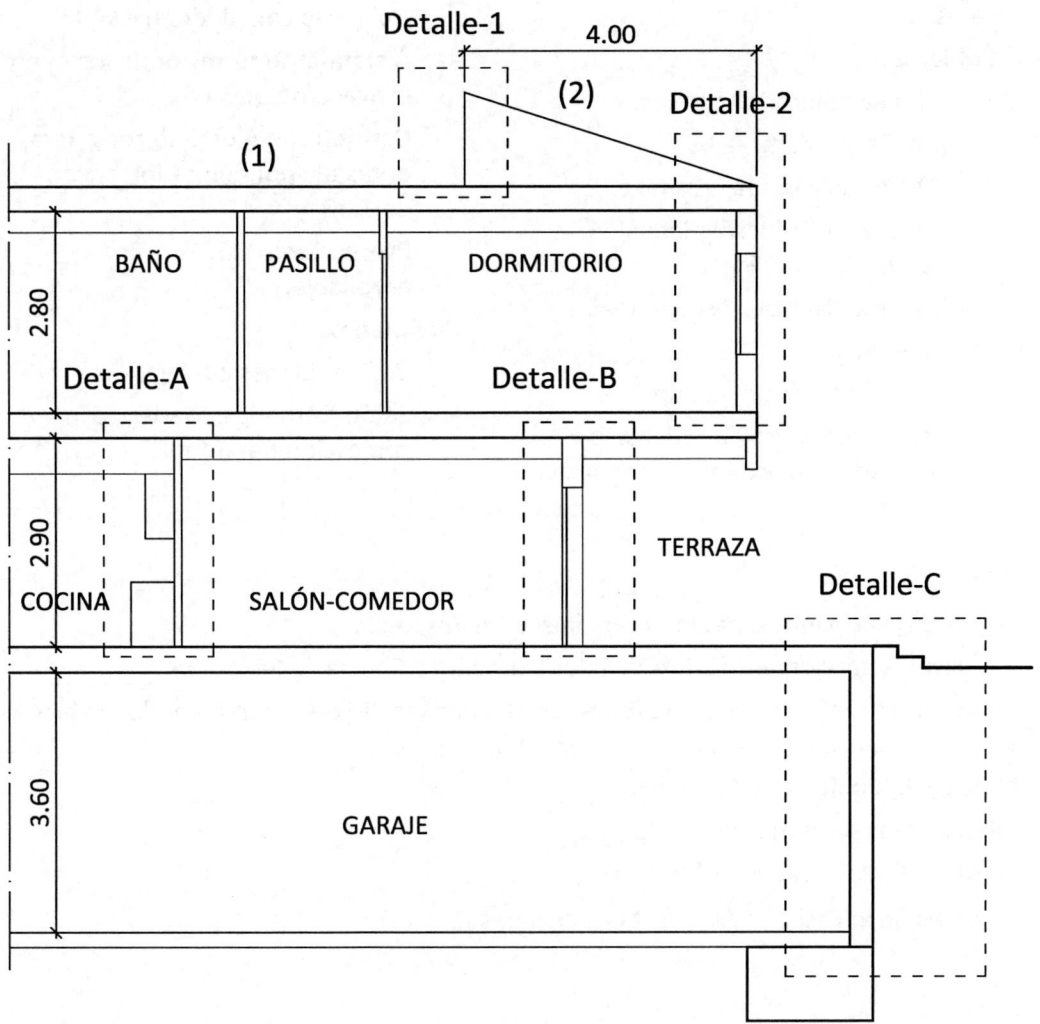

ENUNCIADO:

En un edificio para dos viviendas, ubicado próximo al mar.

Se tiene:

- **Estructura:** Hormigón armado.
- **Muro de sótano:** Encofrado a dos caras.
- **Cubiertas:**
  - **(1):** Pavimento flotante.
  - **(2):** Placa asfáltica.
  - **(3):** Teja alicantina cerámica.
  - **Antepecho** cubierta plana: barandilla metálica.
- **Particiones:** Placa de yeso laminado.
- **Falsos techos:**
  - **Cocina:** El más adecuado.
  - **Salón-comedor:** Placa de yeso laminado con acondicionamiento acústico.

- **Fachadas:**
  - **Revestimiento exterior:** Aplacado con piedra natural.
  - **Aislamiento térmico:** Poliuretano proyectado de 5 cm.
  - **Carpintería:** Aluminio corredera, enrasada por el interior, ancho de 1,30 m.
  - **Protección solar:** Persiana enrollable.
- **Pavimentos:**
  - **Cocina:** El más adecuado.
  - **Salón-Comedor:** Madera con colocación flotante.

Se pide:

- **BLOQUE I: Particiones, pavimentos, falsos techos, etc.**
  - **Realizar la sección vertical A-A':** Salón-comedor / Cocina / Medianera.
  - **Calcular** el coeficiente de reverberación del falso techo del salón-comedor, sabiendo que las dimensiones de la estancia son 5,00x3,50 m.
- **BLOQUE II: Cubiertas y fachadas.**
  - **Realizar las secciones verticales:**
    - **Detalle 1:** Antepecho / Cubierta.
    - **Detalle 2:** Fachada / Cubiertas inclinadas (2) y (3).

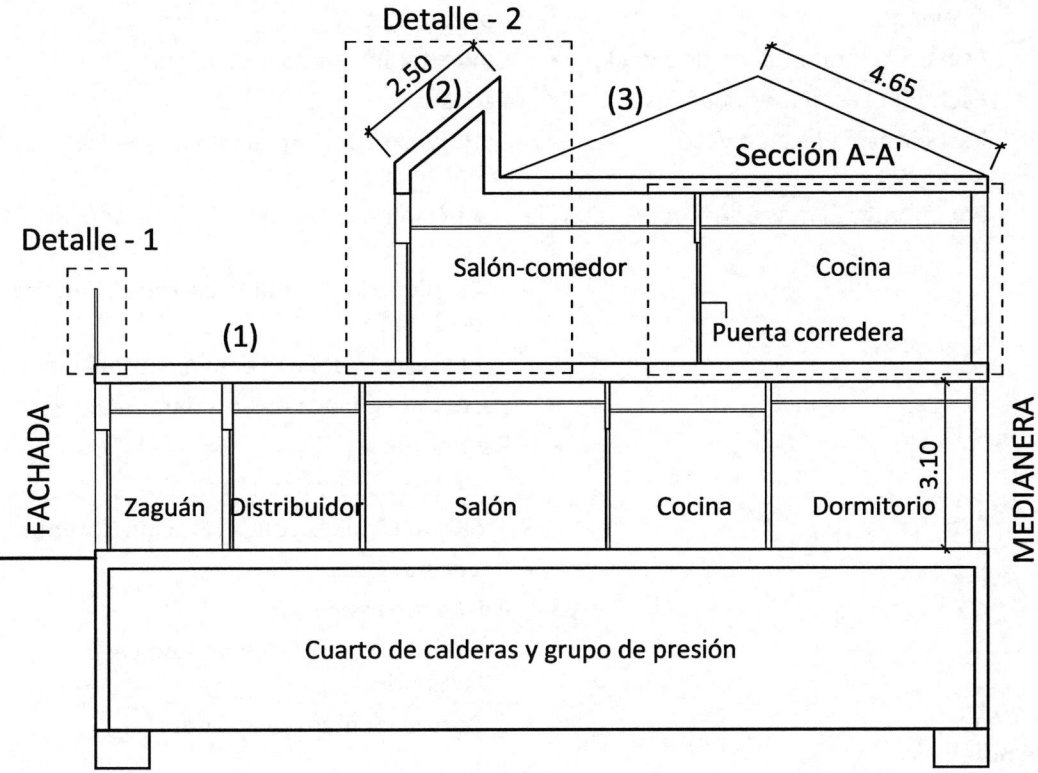

Detalle - 2

2.50

(2)

(3)

4.65

Sección A-A'

Detalle - 1

(1)

Salón-comedor

Cocina

Puerta corredera

FACHADA

Zaguán | Distribuidor | Salón | Cocina | Dormitorio

3.10

MEDIANERA

Cuarto de calderas y grupo de presión

EXTRAORDINARIO DICIEMBRE 2007

ENUNCIADO:

Se tienen dos edificios, uno destinado a oficinas y otro a vivienda unifamiliar, ubicados en Santa Pola próximos al mar.

Se sabe:

EDIFICIO 1: Nave industrial

- **Estructura:** Pórtico de acero laminado.
- **Cubierta:** Prefabricada tipo deck.
- **Fachada:** Las más adecuadas.
- **Particiones:** Placa de yeso laminado.
- **Pavimento:** El más adecuado.

EDIFICIO 2: Vivienda unifamiliar

- **Estructura:** Forjados de hormigón horizontales.
- **Cubierta:** Inclinada de teja curva.
- **Fachada:**
  - **Hoja exterior:** Aplacado de piedra natural.
  - **Aislamiento térmico:** Poliuretano proyectado.
  - **Carpintería:** Aluminio corredera, ancho de 1,40 m.
  - **Protección solar:** Persiana enrollable.
- **Particiones:** Placa de yeso laminado.
- **Pavimentos:**
  - **Exterior:** Hormigón impreso.
  - **Salón:** Madera con colocación flotante.
  - **Cocina:** Gres.
- **Falsos techos:**
  - **Salón:** Continuo de placa de yeso laminado.
  - **Cocina:** El más apropiado.

Se pide:

- <u>BLOQUE I:</u> **Particiones, pavimentos, falsos techos, etc.**
  - **Realizar las secciones verticales:**
    - **Sección 1:** Salón / Cocina.
    - **Sección 2:** Cocina / Hall.
  - **Calcular** el coeficiente de reverberación en el salón, sabiendo que las dimensiones del mismo son 6,00x4,00 m.
- <u>BLOQUE II:</u> **Cubiertas y fachadas.**
  - **Realizar las secciones verticales:**
    - **Detalle A:** Encuentro entre el edificio 1 y 2.
    - **Detalle B:** Cumbrera de la vivienda.
    - **Detalle C:** Resolver la fachada que da acceso a la vivienda.
  - **Justificar** que la fachada proyectada cumple con los requisitos del CTE.

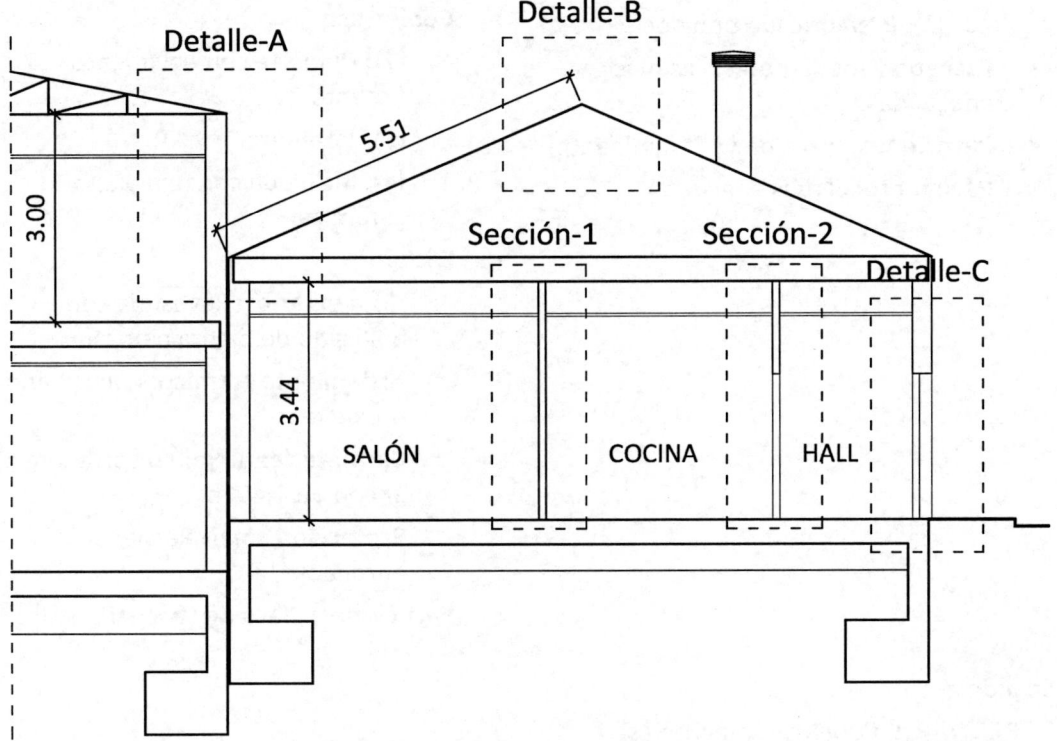

Detalle-A

Detalle-B

5.51

3.00

Sección-1

Sección-2

Detalle-C

3.44

SALÓN

COCINA

HALL

<u>ENUNCIADO:</u>

Se tiene una vivienda unifamiliar de dos plantas ubicada en Alcoy, junto a ella existe una pequeña nave industrial de uso comercial.

Se sabe:

EDIFICIO 1: Nave industrial

- **Estructura:** Cercha de acero laminado.
- **Cubierta:**
  - **(1):** Prefabricada tipo deck.
- **Fachada y medianeras:** Las más adecuadas.
- **Particiones:** Placa de yeso laminado.
- **Pavimento:** El más adecuado.

EDIFICIO 2: Vivienda unifamiliar

- **Estructura:** Forjados de hormigón horizontales.
- **Cubiertas:**
  - **(2):** Cubierta con pavimento flotante.
  - **(3):** Jardinera.
  - **(4):** Inclinada con teja plana cerámica.
- **Fachada:**
  - **Hoja exterior:** Revestida con aplacado de piedra natural.
  - **Aislamiento térmico:** Poliuretano proyectado.
  - **Carpintería:** Aluminio corredera, ancho de 1,40 m.
  - **Protección solar:** Persiana enrollable.
- **Particiones:** Placa de yeso laminado.

Se pide:

- <u>**BLOQUE II:**</u> **Cubiertas y fachadas.**
  - **-Realizar las secciones verticales:**
    - **Detalle 1:** Cubierta industrial / Medianera.
    - **Detalle 2:** Cubierta plana / Jardinera / Cubierta inclinada / Fachada.

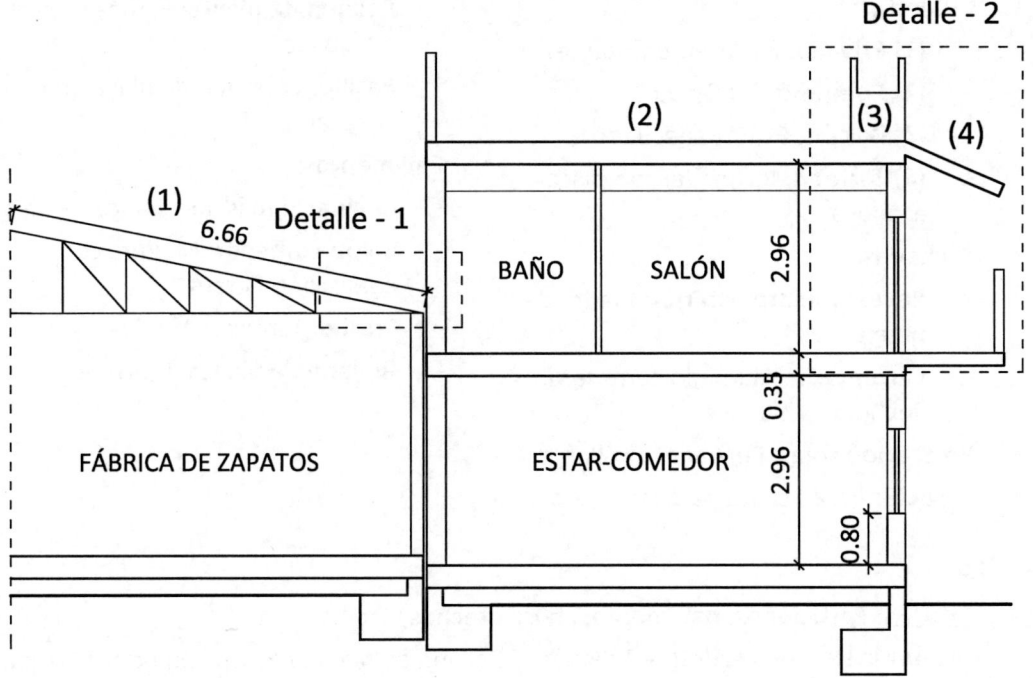

Detalle - 2

(2)

(3)

(4)

(1)

6.66

Detalle - 1

2.96

BAÑO

SALÓN

FÁBRICA DE ZAPATOS

ESTAR-COMEDOR

0.35

2.96

0.80

ENUNCIADO:

Se tiene un edificio de planta baja y dos plantas piso, situado en una zona urbana de Madrid.

Se sabe:

- **Estructura:**
  - **Viviendas:** Horizontal de hormigón.
  - **Torreón:** Inclinada metálica.
- **Cubiertas:**
  - **(1) Privada:** Pavimento flotante.
  - **(2) Comunitaria:** Grava.
  - **(3) Balcón:** El más adecuado.
  - **(4) Torreón:** Inclinada, con placa asfáltica.
- **Fachadas:**
  - **Revestimiento exterior:** Piedra de bateig.
  - **Carpintería:** Aluminio corredera, ancho de 1,80 m.
- **Protección solar:** Persiana enrollable.
- **Particiones:** Placa de yeso laminado.

- **Falsos techos:**
  - **Cocina:** El más adecuado.
  - **Salón-comedor:** Desmontable con acondicionamiento acústico.
  - **Rellano de planta:** El más adecuado.
  - **Pasillo:** Continuo de placa de yeso laminado.
- **Pavimentos:**
  - **Cocina:** El más adecuado.
  - **Salón-comedor:** Madera con colocación flotante.
  - **Pasillo:** Terrazo.
  - **Rellano de planta:** Mármol.

Se pide:

- **BLOQUE I: Particiones, pavimentos, falsos techos, etc.**

  - **Realizar la sección vertical A-A':** Pasillo / Rellano de planta / Salón-comedor / Cocina / Salón-comedor.

  - **Comprobar** si son adecuadas las placas del falso techo del salón-comedor, sabiendo que el coeficiente de absorción de las placas es de 0,51.

- **BLOQUE II: Cubiertas y fachadas.**

  - **Realizar las secciones verticales:**
    - **Sección B-B':** Fachada / Balcón.
    - **Sección C-C':** Cubierta inclinada / Cubierta privada (sumidero, chimenea y antepecho).
    - **Justificar** el cumplimiento del grado de impermeabilidad de la fachada conforme al CTE.

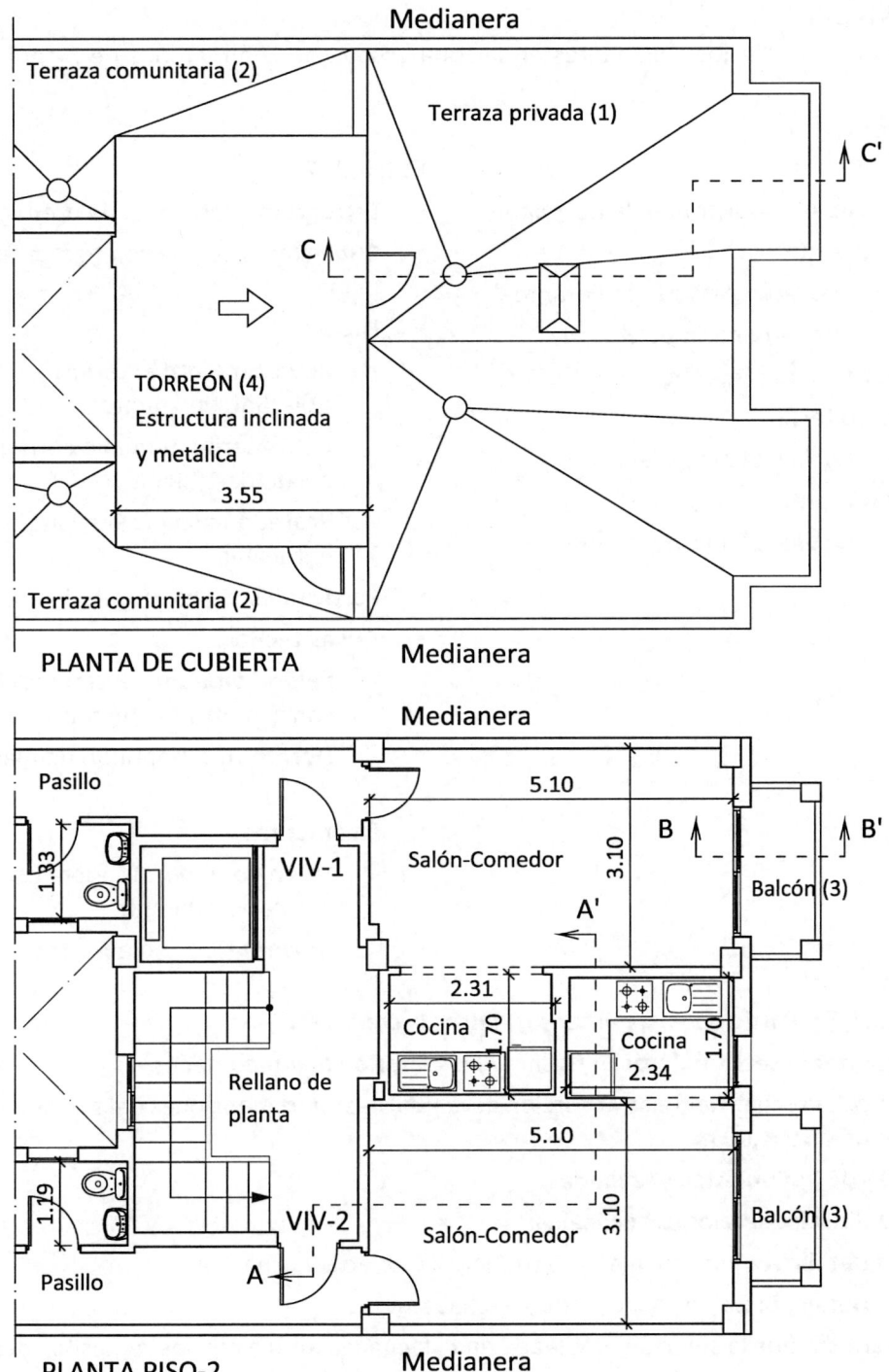

Medianera

Terraza comunitaria (2)

Terraza privada (1)

C'

C

TORREÓN (4)
Estructura inclinada
y metálica

3.55

Terraza comunitaria (2)

PLANTA DE CUBIERTA   Medianera

Medianera

Pasillo

1.33

VIV-1

Salón-Comedor

5.10

3.10

B   B'

Balcón (3)

A'

2.31

Cocina   1.70

Cocina
2.34   1.70

Rellano de
planta

5.10

3.10

Balcón (3)

1.19

VIV-2

Salón-Comedor

Pasillo

A

PLANTA PISO-2   Medianera

ENUNCIADO:

Se tienen dos edificios colindantes en la zona urbana de León, ambos de planta baja y alta.

Se sabe:

EDIFICIO 1:

- **Estructura:** Horizontal de hormigón.
- **Cubierta:**
  - Plana con pavimento flotante.
  - Jardinera perimetral.
- **Particiones:** Cerámica.
- **Falso techo:**
  - **Cocina:** El más adecuado.
- **Pavimento:**
  - **Cocina:** El más adecuado.

EDIFICIO 2:

- **Estructura:** Horizontal de hormigón.
- **Cubierta:** Inclinada con teja cerámica plana.
- **Fachada:**
  - **Revestimiento exterior:** Aplacado de granito.
  - **Carpintería:** Aluminio corredera, ancho de 1,80 m.
  - **Protección solar:** Persiana enrollable.
- **Particiones:** Placa de yeso laminado.
- **Falsos techos:**
  - **Salón-comedor:** Desmontable con acondicionamiento acústico.
  - **Dormitorio:** Continuo de placa de yeso.
- **Pavimentos:**
  - **Salón-comedor:** Madera con colocación flotante.
  - **Dormitorio:** Linóleo.

Se pide:

- **BLOQUE I:** Particiones, pavimentos, falsos techos, etc.
  - **Realizar la sección vertical:** Cocina / Dormitorio / Salón-comedor.
  - **Calcular** el coeficiente de absorción de las placas si las dimensiones del salón-comedor son de 6,10x4,00 m.

- **BLOQUE II: Cubiertas y fachadas.**
  - **Realizar las secciones verticales:**
    - **Detalle A:** Cubierta plana / Jardinera / Cubierta inclinada.
    - **Detalle B:** Cubierta inclinada / Fachada.
  - **Justificar** que la solución empleada en la fachada cumple con los requisitos del CTE.

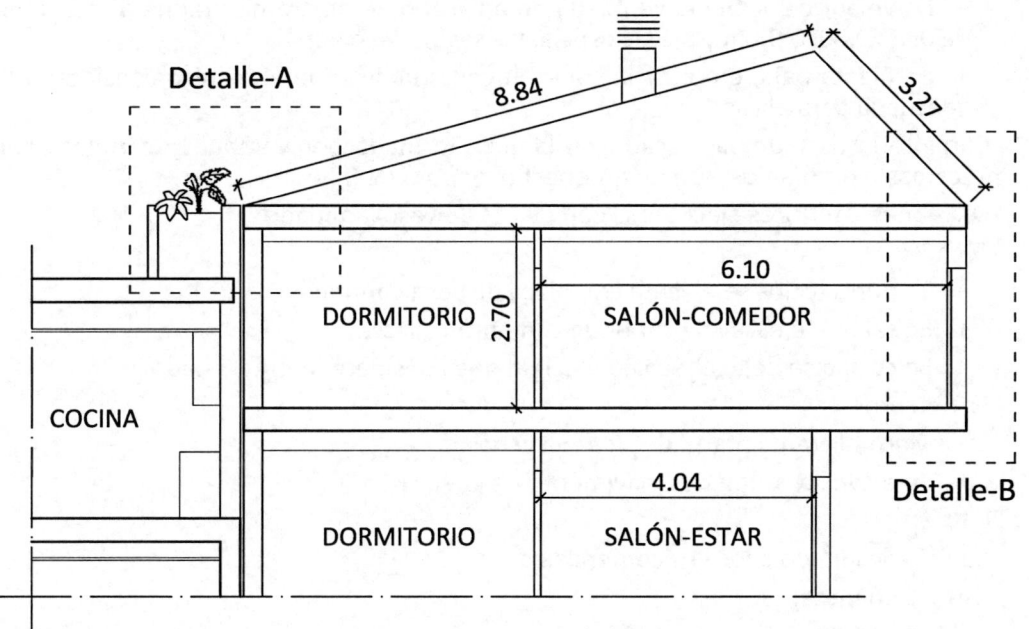

Detalle-A

8.84

3.27

DORMITORIO

2.70

SALÓN-COMEDOR

6.10

COCINA

Detalle-B

DORMITORIO

SALÓN-ESTAR

4.04

EXTRAORDINARIO DICIEMBRE 2008

ENUNCIADO:

Se tienen dos edificios situados en zona urbana, de 5 plantas piso cada uno. Se sabe:

EDIFICIO 1:

- Es un edificio con una planta sótano para garaje, local comercial en los bajos y 15 viviendas (tres viviendas por planta).
- Cubierta ajardinada.
- La fachada se resuelve de la siguiente forma:
  - Fachada convencional con mortero monocapa raspado.
  - En voladizos, fachada ventilada de aplacado de piedra natural de dimensiones de 0,40x0,80x0,03 m y piezas especiales según despiece.
  - En planta baja, emplear la solución constructiva que el técnico considere más adecuada para el caso.
- Carpintería de aluminio lacado en blanco, formada por ventanas abatibles sobre precercos o premarcos, con un antepecho de obra de 0,50 m.
- Divisiones interiores ejecutadas con placas de yeso laminado.
- Techos:
  - En dormitorios se ejecuta con placa de yeso continua.
  - En salón, de escayola continua con entrecalles.
  - En cocina se deja al técnico elegir el que considere más adecuado.
- Pavimentos:
  - Mármol crema marfil de 3 cm de espesor.
  - En estancias húmedas, pavimento de gres.

EDIFICIO 2:

- Edificio destinado a locales comerciales.
- Estructura metálica.
- Cubierta prefabricada tipo deck.
- Fachada de vidrio.

Se pide:

- **BLOQUE II: Cubiertas y fachadas.**
  - **Realizar las secciones constructivas de los detalles planteados:**
    - **Cubiertas: Detalles A, B y C.** Donde "C" es el desagüe de la cubierta ajardinada situado en el lugar que se considere más adecuado.
    - **Detalle 1:** Encuentro de fachadas entre los dos edificios. Sección horizontal.
    - **Detalle 2:** Esquina entrante de la fachada. Sección horizontal.
    - **Detalle 3:** Encuentros de las jambas, dinteles y vierteaguas del salón. Sección horizontal y vertical.
- **BLOQUE I: Particiones, pavimentos, falsos techos, etc.**
  - **Realizar la sección vertical A-A'.**
  - **Realizar una sección vertical** para resolver el arranque de la fachada en planta baja, teniendo en cuenta que no existe sótano y el grado de impermeabilidad es 1.

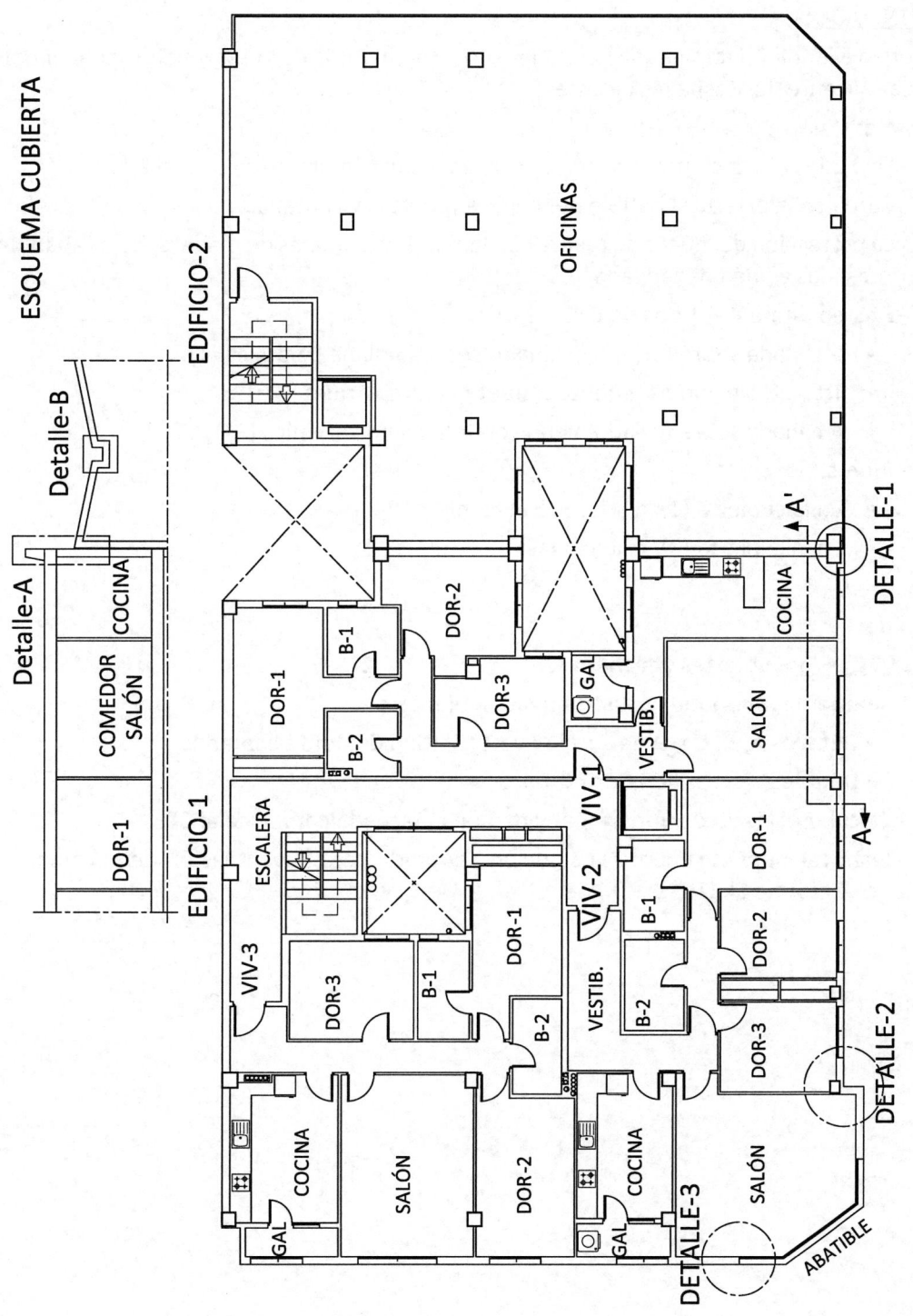

ESQUEMA CUBIERTA

Detalle-A

Detalle-B

EDIFICIO-1

EDIFICIO-2

OFICINAS

DETALLE-1

A'

A

COMEDOR SALÓN

COCINA

DOR-1

ESCALERA

DOR-1

B-1

B-2

DOR-2

DOR-3

GAL

VESTIB.

VIV-1

VIV-2

SALÓN

COCINA

DOR-1

DOR-2

B-1

VIV-3

DOR-3

B-1

B-2

DOR-1

VESTIB.

B-2

DOR-3

DETALLE-2

GAL

COCINA

SALÓN

DOR-2

GAL

COCINA

SALÓN

DETALLE-3

ABATIBLE

71

ENUNCIADO:

En una vivienda unifamiliar aislada dentro de una urbanización en zona urbana, al norte de San Vicente del Raspeig (Alicante).

Se sabe:

- Fachada convencional con ladrillo caravista con cámara de aire ventilada.

- Carpintería exterior abatible de madera (puertas y ventanas).

- La protección del hueco se realiza con lamas mallorquinas de madera, hojas abatibles, enrasadas a línea de fachada.

- Existen diferentes tipos de cubiertas:

  - Inclinada sobre forjado inclinado con teja plana cerámica (1).
  - Transitable con pavimento flotante en el solárium (2).
  - Inclinada sobre forjado plano con teja plana cerámica (3).

- Aleros:

  - En la cubierta (1), a criterio del técnico.
  - En la cubierta (3), tradicional.

Se pide:

- **BLOQUE II: Cubiertas y fachadas.**

  - **Realizar las secciones constructivas siguientes:**

    - **Detalles A, B, C y D** en sección vertical (debidamente acotados).
    - **Detalle D** en sección horizontal.

  - **Calcular** el grado de impermeabilidad de la fachada conforme al CTE.

  - **Justificar** numéricamente la solución adoptada para la ventilación de la cámara de aire conforme al CTE.

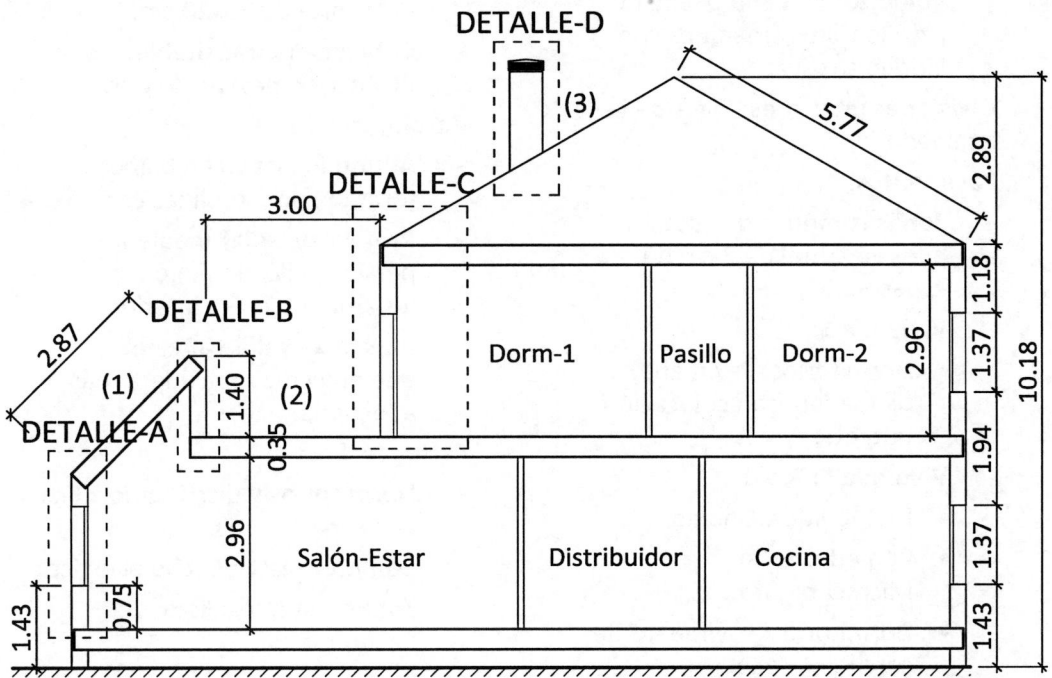

DETALLE-D

(3)

DETALLE-C

3.00

5.77

2.89

DETALLE-B

2.87

(1)

1.40

(2)

0.35

DETALLE-A

1.18

2.96

Dorm-1   Pasillo   Dorm-2

1.37

10.18

1.94

2.96

Salón-Estar   Distribuidor   Cocina

1.37

1.43

0.75

1.43

ENUNCIADO:

Se tiene un edificio de viviendas exento situado en zona urbana de Alicante, con una planta de sótano, planta baja destinada a locales y 7 plantas piso para 42 viviendas.

Se sabe:

- **Fachada:**
  - **Fachada convencional** con aplacado de piedra natural de 3 cm de espesor.
  - **Voladizos** con antepecho de ladrillo visto rematados con ladrillo a rosca.
- **Divisiones interiores:** Placa de yeso laminado.
- **Pavimentos:**
  - **Zonas comunes** de escalera: piedra natural de 2 cm de espesor.
  - **Vivienda 1:**
    - Dormitorios: Pavimento de madera con colocación flotante.
  - **Vivienda 2:**
    - Distribuidor: Linóleo.
    - Comedor-estar: Microcemento.
    - Dormitorios: Pavimento de corcho en rollo.
    - Cocina: Porcelánico.
    - Terraza cubierta: Gres.

- **Aleros:** A criterio del técnico.
- **Cubiertas:**
  - **Inclinada:** Teja mixta.
  - **Plana transitable:** Baldosa hidráulica de 20x20 cm.
  - **Cubierta no transitable:** Protección pesada de grava.
- **Carpintería:**
  - **Aluminio** lacado en blanco, formada por ventanas correderas.
  - **Protección solar** mediante persianas de aluminio con aislamiento en su interior.
  - **Puerta de salida a terraza**, la que el técnico considere más adecuada.
- **Falsos techos:**
  - **Dormitorios y distribuidor:** Placa de yeso continua.
  - **Comedor-estar:** Techo acústico.
  - **Zonas comunes:** Escayola desmontable.

Se pide:

- **BLOQUE I:** Particiones, pavimentos, falsos techos, etc.
  - **Realizar las secciones verticales:**
    - **Secciones B-B' y C-C'.**
    - **Detalle 4,** considerando que el cerramiento de la escalera con el patio se ha resuelto con U-Glass (sección vertical, teniendo en cuenta que la losa de la escalera se queda separada 35 cm de la línea de U-Glass).
- **BLOQUE II:** Cubiertas y fachadas.
  - **Realizar las secciones constructivas de los detalles planteados:**
    - **Sección A-A':** Detalles 1 y 2.
    - **Detalle 3:** Sección vertical y horizontal por una ventana (encuentros de las jambas, dintel y vierteaguas).

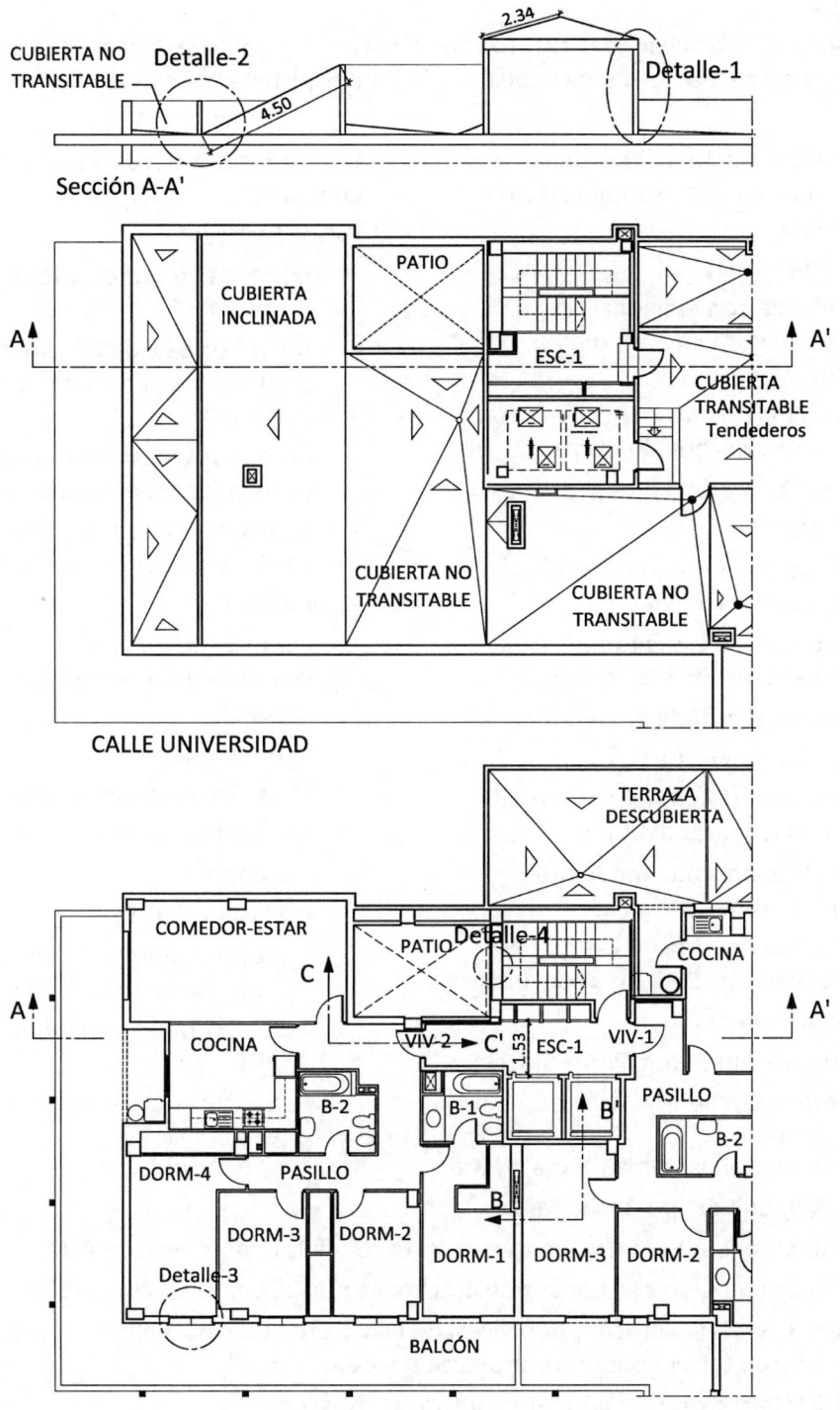

CUBIERTA NO TRANSITABLE

Detalle-2

2.34

Detalle-1

4.50

Sección A-A'

A ─ A'

CUBIERTA INCLINADA

PATIO

ESC-1

CUBIERTA TRANSITABLE Tendederos

CUBIERTA NO TRANSITABLE

CUBIERTA NO TRANSITABLE

CALLE UNIVERSIDAD

TERRAZA DESCUBIERTA

COMEDOR-ESTAR

PATIO

Detalle-4

COCINA

C

A ─ A'

COCINA

VIV-2 ─ C'

1.53

ESC-1

VIV-1

B-2

B-1

B'

PASILLO

B-2

DORM-4

PASILLO

B

DORM-3

DORM-2

DORM-1

DORM-3

DORM-2

Detalle-3

BALCÓN

ENUNCIADO:

Se tiene un edificio de viviendas exento situado en zona urbana de Alicante, con una planta de sótano, planta baja destinada a locales y 7 plantas piso para 42 viviendas.

Se sabe:

- **Estructura mixta:** Pilares de acero laminado y forjados reticulares de hormigón.
- **Fachada:**
  - **Fachada convencional** de ladrillo visto, incluso dinteles y vierteaguas.
  - **Fachada de vidrio:** Resuelta con un muro cortina de trama reticular.
- **Aleros:** A criterio del técnico.
- **Cubiertas:**
  - **Inclinada:** Estructura metálica, con teja cerámica plana.
  - **Cubierta no transitable:** Protección pesada de grava.
  - **Terraza descubierta:** Ajardinada.
- **Carpintería exterior:**
  - **PVC** imitación madera, formada por balconeras abatibles.
  - **Protección solar,** mediante marquesina con lamas.
  - **Puertas en terraza:** Las que el técnico considere más adecuadas.
- **Revestimientos:**
  - **Cuartos húmedos:** Porcelánico.
  - **Resto de vivienda:** A criterio del técnico.

- **Divisiones interiores:** Placa de yeso laminado.
- **Falsos techos:**
  - **En zonas comunes:** Escayola desmontable.
  - **Dormitorios y distribuidor:** Continuos de placa de yeso laminado.
  - **Comedor-estar:** Desmontable con acondicionamiento acústico.
  - **Cuartos húmedos** (baños, cocina y galería): A criterio del técnico.
- **Pavimentos:**
  - **Zonas comunes** de escalera: Piedra natural de 2 cm de espesor.
  - **Vivienda 1:**
    - Dormitorios: Moqueta.
    - Cuartos húmedos: Gres.
  - **Vivienda 2:**
    - Pasillo: Terrazo.
    - Comedor-estar: Tarima de madera sobre rastreles.
    - Dormitorios: Pavimento de PVC.
    - Cuartos húmedos y balcón: Gres.

Se pide: Las secciones por la última planta.

- **BLOQUE II: Cubiertas y fachadas.**
  - **Detalle 1:** Teniendo en cuenta que el corte se realiza por la sección A-A'.
  - **Detalle 2:** Teniendo en cuenta que el corte se realiza por la sección B-B'.
  - **Detalle 3:** Sección vertical y horizontal de la balconera del dormitorio 4 (encuentro de las jambas, dintel, vierteaguas y protección solar).

- **BLOQUE I: Particiones, pavimentos, falsos techos, etc.**
  - **Realizar las secciones verticales C-C' y D-D'** (de forjado a forjado).
  - **Calcular** el coeficiente de reverberación en el comedor-estar.

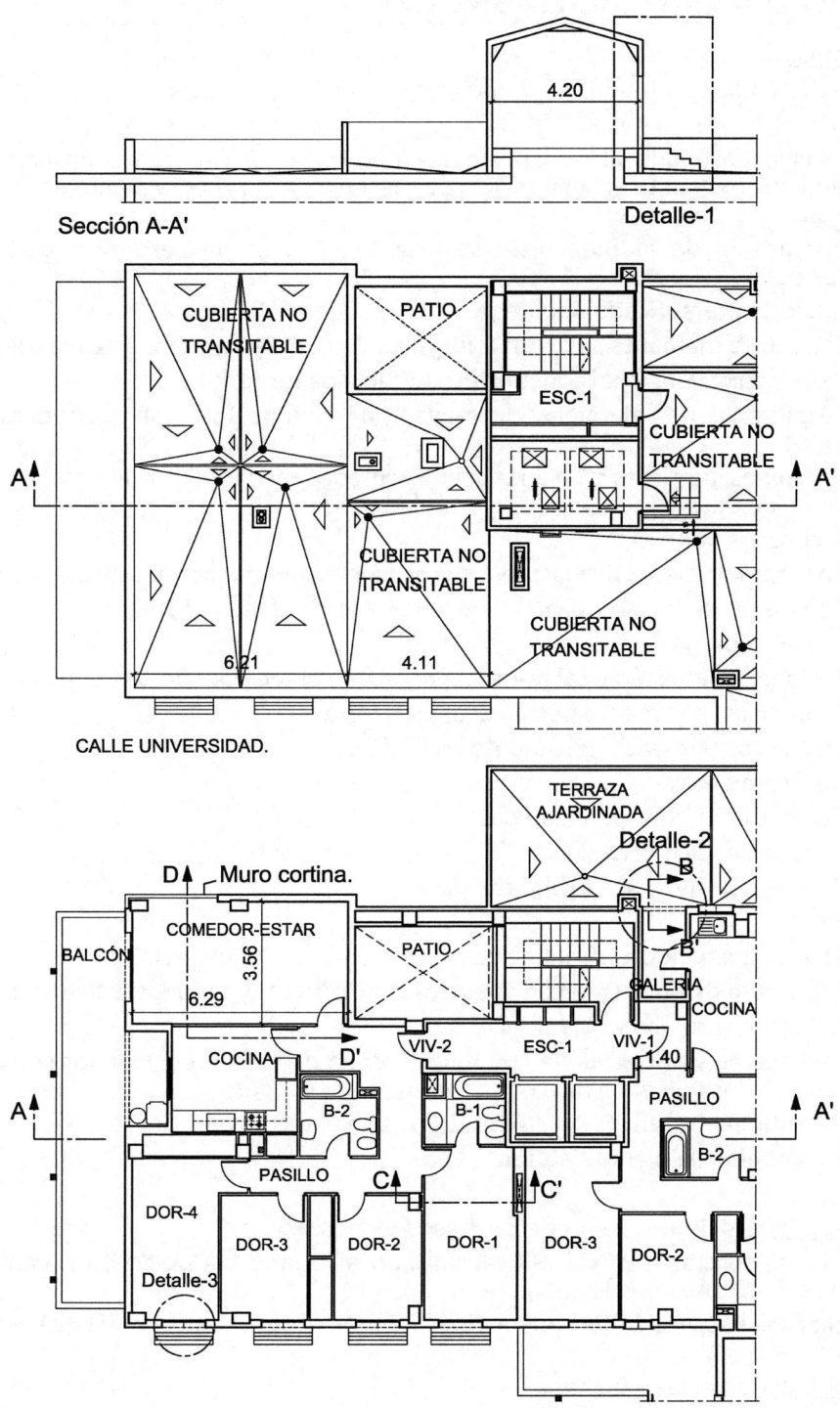

4.20

Sección A-A'

Detalle-1

CUBIERTA NO TRANSITABLE

PATIO

ESC-1

CUBIERTA NO TRANSITABLE

A

A'

CUBIERTA NO TRANSITABLE

CUBIERTA NO TRANSITABLE

6.21

4.11

CALLE UNIVERSIDAD.

TERRAZA AJARDINADA

Detalle-2

B

D — Muro cortina.

COMEDOR-ESTAR

3.56

PATIO

B'

BALCÓN

6.29

GALERÍA

COCINA

COCINA

D'

VIV-2

ESC-1

VIV-1

1.40

PASILLO

A

B-2

B-1

A'

B-2

PASILLO

C

C'

DOR-4

DOR-3

DOR-2

DOR-1

DOR-3

DOR-2

Detalle-3

EXTRAORDINARIO DICIEMBRE 2009

ENUNCIADO:

Se tienen dos edificios situados en un polígono industrial. Se sabe:

EDIFICIO 1

- Edificio destinado al transporte de mercancías, existe una zona para carga y descarga de los camiones, una zona de almacén y en la primera planta están situados los despachos y oficinas.

- El traslado de la mercancía se realiza a través de carretillas elevadoras y transpaletas.

- Cubierta prefabricada tipo deck.

- Estructura mediante soportes y forjados de hormigón, y cubierta metálica.

- Fachada convencional con mortero monocapa raspado.

- Carpintería de aluminio, formada por compactos con correderas sobre precercos.

- Divisiones interiores en planta baja ejecutadas con ladrillo cerámico y en la planta primera o de oficinas con placas de yeso laminado.

- Techos:

  • En planta primera/oficinas: techo con acondicionamiento acústico desmontable.

  • En el resto de la nave, el que el técnico considere más adecuado.

- Pavimentos:

  • En zona de almacén y carga-descarga, el que el técnico considere más adecuado.

  • En oficinas: pavimento pétreo artificial (terrazo).

  • En cuartos húmedos: pavimento cerámico.

- Revestimientos:

  • Cuartos húmedos: porcelánico.

  • Oficinas: estuco veneciano.

  • Planta baja: mortero de alta resistencia.

EDIFICIO 2

- Edificio destinado a oficinas de una gran empresa multinacional.

- Estructura de hormigón con soportes de 35x35 cm y forjados reticulares.

- Cubierta ajardinada.

- Fachada de vidrio resuelta con muro cortina de trama reticular, los cerramientos medianeros, los que el técnico considere más adecuados.

- Revestimientos en los paramentos, los que el técnico considere.

- Pavimentos de piedra natural.

Se pide:

▪ **BLOQUE I: Particiones, pavimentos, falsos techos, etc.**

  -**Dibujar la sección vertical X-X'** de forjado a forjado (1ª planta), indicando todos aquellos elementos que la componen.

  -**Dibujar los detalles** D (fachada acristalada) y E (división entre edificios), en sección vertical.

▪ **BLOQUE II: Cubiertas y fachadas.**

  -**Cubiertas.** Dibujar los detalles indicados "A" y "B" en sección vertical.

  -**Fachadas.** Detalle C: Resolver los encuentros de las jambas, dintel y vierteaguas del despacho. Sección horizontal y vertical.

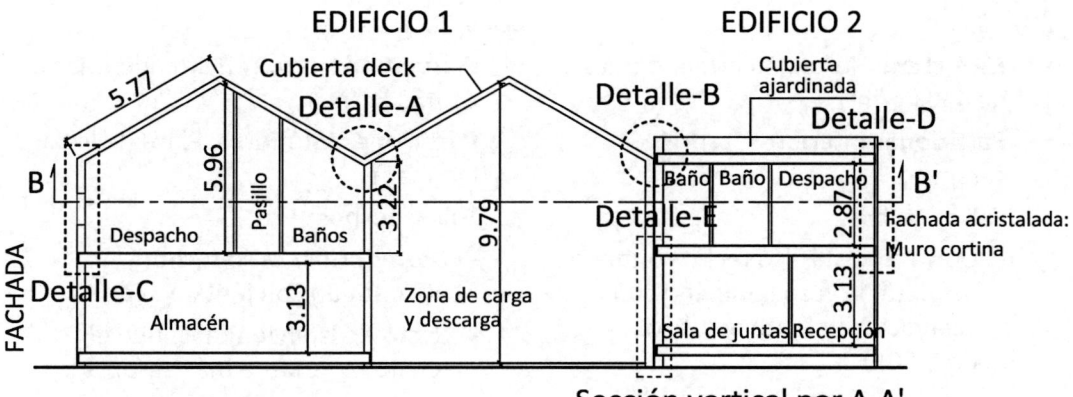

EDIFICIO 1   EDIFICIO 2

Cubierta deck

Detalle-A   Detalle-B

Cubierta ajardinada

Detalle-D

5.77

5.96

3.22

9.79

Pasillo

B

Despacho   Baños

Baño Baño Despacho   B'

Detalle-E

2.87

Fachada acristalada:
Muro cortina

FACHADA

Detalle-C

3.13

Almacén   Zona de carga y descarga

3.13

Sala de juntas Recepción

Sección vertical por A-A'

FACHADA

Archivo

FACHADA

Administración   Zona de carga y descarga

Despacho

X'

X

Despacho

Despacho

E E'

Despacho

FACHADA

A   Despacho   A'

Despacho

FACHADA

Sección horizontal por la 1ª planta por B-B'

PARTICIONES Y REVESTIMIENTOS

<u>ENUNCIADO:</u>

Se tienen dos edificios medianeros situados en Alcoy que conforman una manzana, con sótano, planta baja y tres plantas piso.

Se sabe:

EDIFICIO 1:

- **Estructura:** Hormigón armado (masa de 450 kg/m²).

- **Particiones interiores:** Ladrillo cerámico.

- **Falsos techos:**
  - **Dormitorios:** Falso techo continuo de placa de yeso laminado con acondicionamiento acústico ($\alpha=0,50$).
  - **Pasillo y vestíbulo:** Escayola.
  - **Zona común del zaguán:** El más adecuado.

- **Pavimentos:**
  - **Dormitorios:** Moqueta textil o pavimento flexible con elasticidad puntual.
  - **Pasillo y vestíbulo:** Pavimento pétreo artificial (terrazo).
  - **Zona común del zaguán:** Pavimento cerámico.

- **Revestimientos y acabados superficiales:** Los que el técnico considere más apropiados.

EDIFICIO 2:

- **Estructura:** Hormigón armado (masa de 450 kg/m²).

- **Particiones interiores:** Placa de yeso laminado.

- **Falsos techos:**
  - **Dormitorios:** Falso techo discontinuo con junta oculta.
  - **Resto de la vivienda:** El que el técnico considere más apropiado.

- **Pavimentos:**
  - **Cuartos húmedos:** A criterio del técnico.
  - **Pasillo y vestíbulo:** Parquet con colocación flotante.
  - **Resto de la vivienda:** Corcho en rollos o pavimento flexible con elasticidad combinada.

- **Revestimientos y acabados superficiales:** Los que el técnico considere más apropiados.

Se pide:

- **BLOQUE I: Particiones, pavimentos, falsos techos, etc.**
  - **-Edificio 1:**
    - • **Realizar la sección vertical B-B'.**
    - • **Calcular** el tiempo de reverberación del dormitorio 3, del Edificio 1 / Vivienda 6, indicar si es el adecuado, de no serlo determinar el coeficiente de absorción.
  - **-Edificio 2: Realizar las secciones constructivas siguientes**
    - • **Dibujar el detalle C,** en sección horizontal.
    - • **Sección vertical D-D',** de forjado a forjado (edificio 2 viv. D - viv. C).

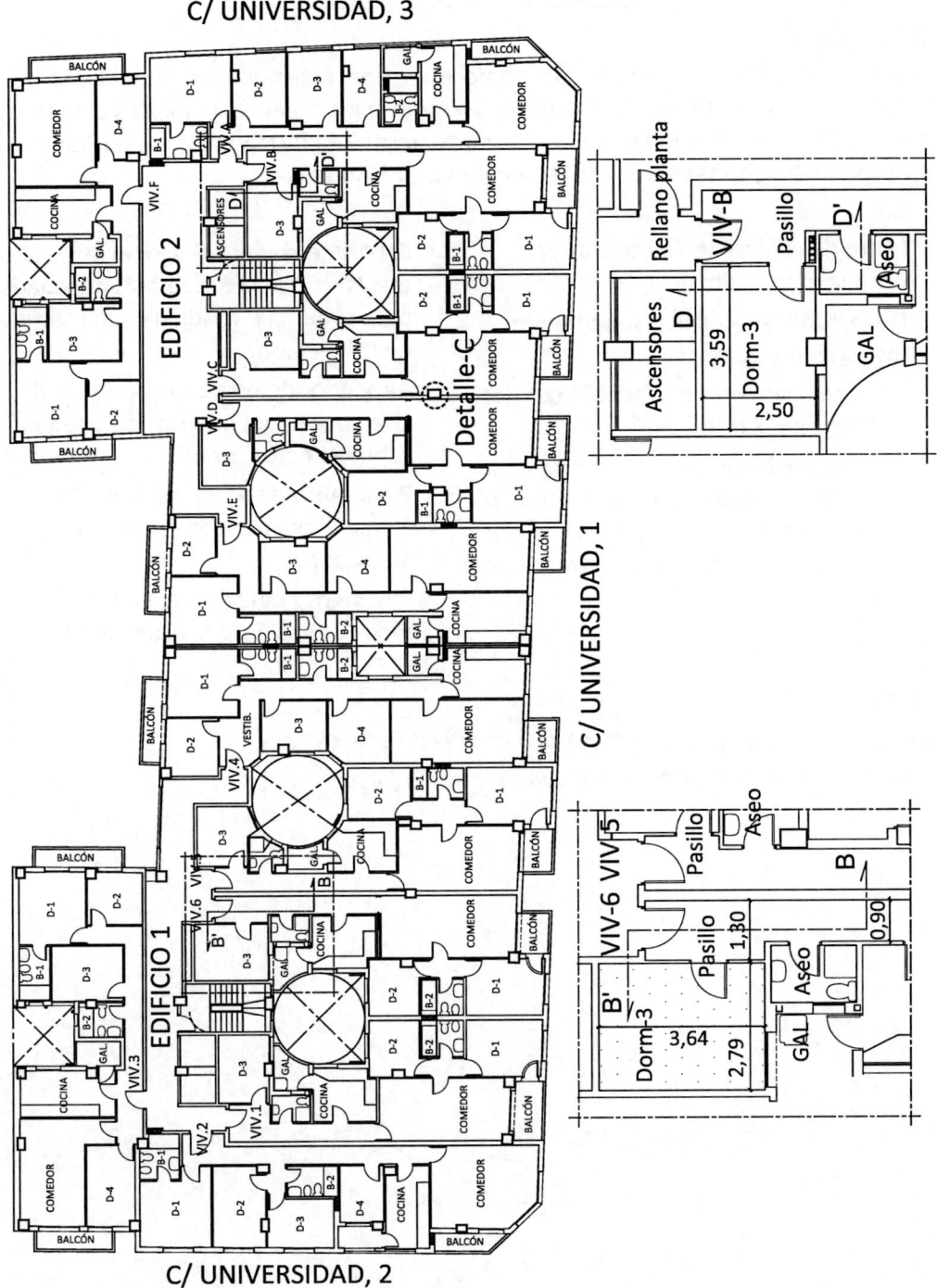

C/ UNIVERSIDAD, 3

C/ UNIVERSIDAD, 1

C/ UNIVERSIDAD, 2

EDIFICIO 2

EDIFICIO 1

ENCUENTROS CON EL TERRENO

ENUNCIADO:

Se tienen dos edificios exentos que conforman una manzana. Estos edificios están formados por una planta sótano destinada a garajes, planta baja para locales comerciales y 3 plantas pisos destinadas a viviendas. La parte norte está formada por una urbanización común con piscina, zonas ajardinadas y de juegos infantiles.

Se sabe:

- **Muro de contención** de tierras de hormigón armado.

- **Del estudio geotécnico se obtienen los siguientes datos:**

    - **Coeficiente de permeabilidad del terreno:** Ks=10^{-3} cm/s.

    - **Presencia de agua:** Media (la cara inferior del suelo en contacto con el terreno se encuentra a la misma profundidad que el nivel freático).

- El perímetro del edificio ha de resolverse de la forma más adecuada, para evitar la entrada de agua (zona de los escalones).

- Alrededor de esta zona perimetral se coloca un **pavimento de adoquín** sobre lecho de arena.

- **Pavimento de acceso al edificio:** El que el técnico considere más adecuado.

- **Pavimento del sótano:** El que el técnico considere más adecuado.

Se pide:

- **BLOQUE I:** Particiones, pavimentos, falsos techos, etc.

  - **Realizar la sección vertical A-A':** Muro / Suelo / Acceso.

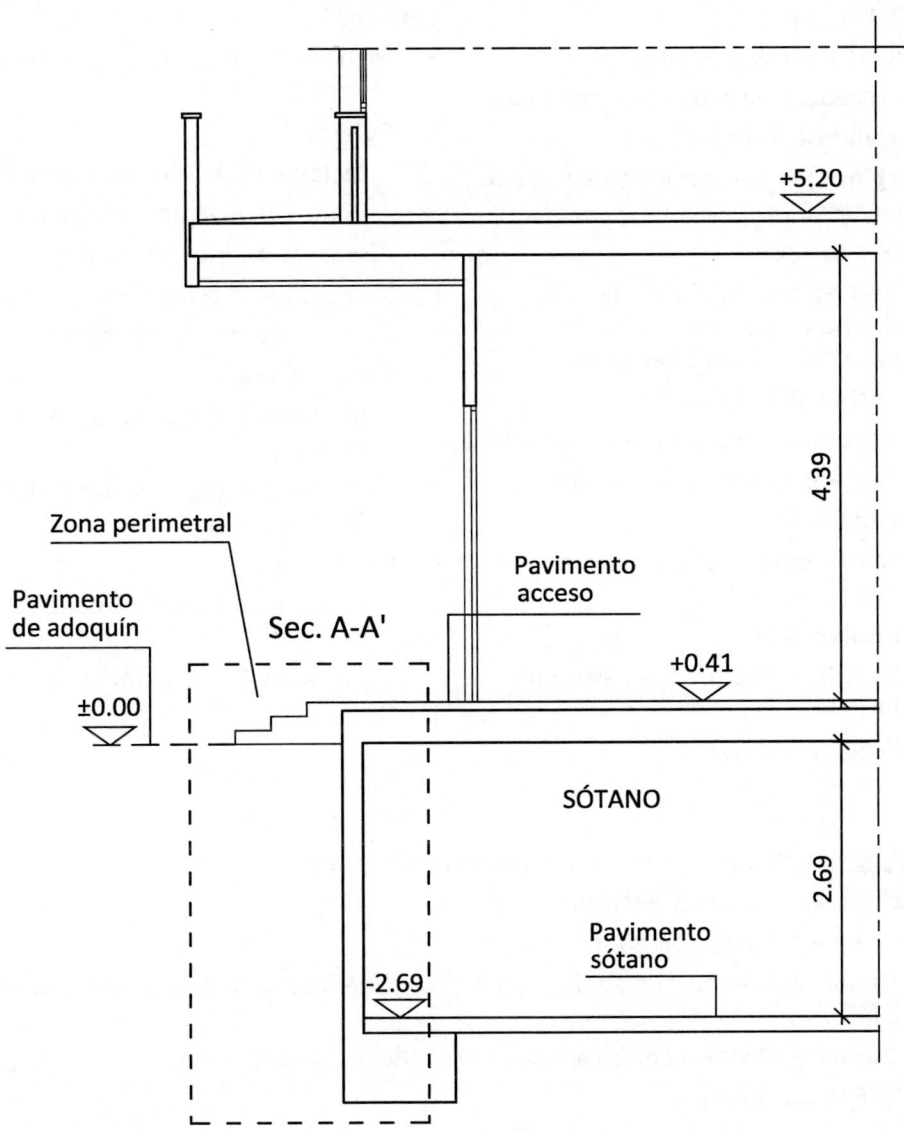

Zona perimetral

Pavimento
de adoquín

Sec. A-A'

±0.00

+5.20

4.39

Pavimento
acceso

+0.41

SÓTANO

2.69

Pavimento
sótano

-2.69

ENUNCIADO:

Se tienen dos edificios medianeros destinados a viviendas.

Se sabe:

EDIFICIO 1:

- **Cubierta (1):** Ajardinada.
- **Particiones:** Placa de yeso laminado.
- **Carpintería interior:** Roble.
- **Carpintería exterior:** Aluminio lacado en blanco.
- **Falsos techos:**
  - **Salón-comedor:** Escayola desmontable con acondicionamiento acústico.
  - **Cocina:** Aluminio.
  - **Recibidor:** Placa de yeso laminado.
  - **Zaguán:** A criterio del técnico.
- **Pavimentos:**
  - **Salón-comedor:** Madera con colocación flotante.
  - **Cocina:** Gres.
  - **Recibidor:** Moqueta o pavimento flexible.
  - **Zaguán:** Granito.

EDIFICIO 2:

- **Fachada:** Convencional con mortero monocapa.
- **Cubiertas:**
  - **Inclinada (3):** Con placa asfáltica.
  - **Plana (2):** Pavimento flotante.
- **Aleros:** A criterio del técnico.
- **Particiones:** Placa de yeso laminado.
- **Carpintería interior:** Roble.
- **Falsos techos:**
  - **Vivienda 1:** Escayola (a criterio del técnico).
  - **Vivienda 2:** Placa de yeso laminado (a criterio del técnico).
- **Pavimentos:**
  - **Vivienda 1:** Pavimento pétreo artificial.
  - **Vivienda 2:** Microcemento.

Se pide:

- **BLOQUE I: Particiones, pavimentos, falsos techos, etc.**
  - **Realizar las secciones verticales:**
    - **Detalle 1:** Salón-comedor / Cocina.
    - **Detalle 2:** Zaguán / Recibidor, teniendo en cuenta que se realiza por el acceso del edificio.
    - **Detalle 3:** División entre viviendas, Dormitorio / Baño.
- **BLOQUE II: Cubiertas.**
  - **Realizar la sección vertical del detalle de cubierta**, teniendo en cuenta las dos opciones planteadas:
    - **Opción 1:** Estructura con forjado reticular de hormigón armado (horizontal).
    - **Opción 2:** Estructura con soportes y pórticos metálicos (inclinada).
  - **Calcular** cuántas aberturas deben dejarse en la cubierta de la opción 1, para cumplir la ventilación que fija el CTE. Indicar o dibujar qué elementos han de colocarse en la cubierta para realizar dicha ventilación.

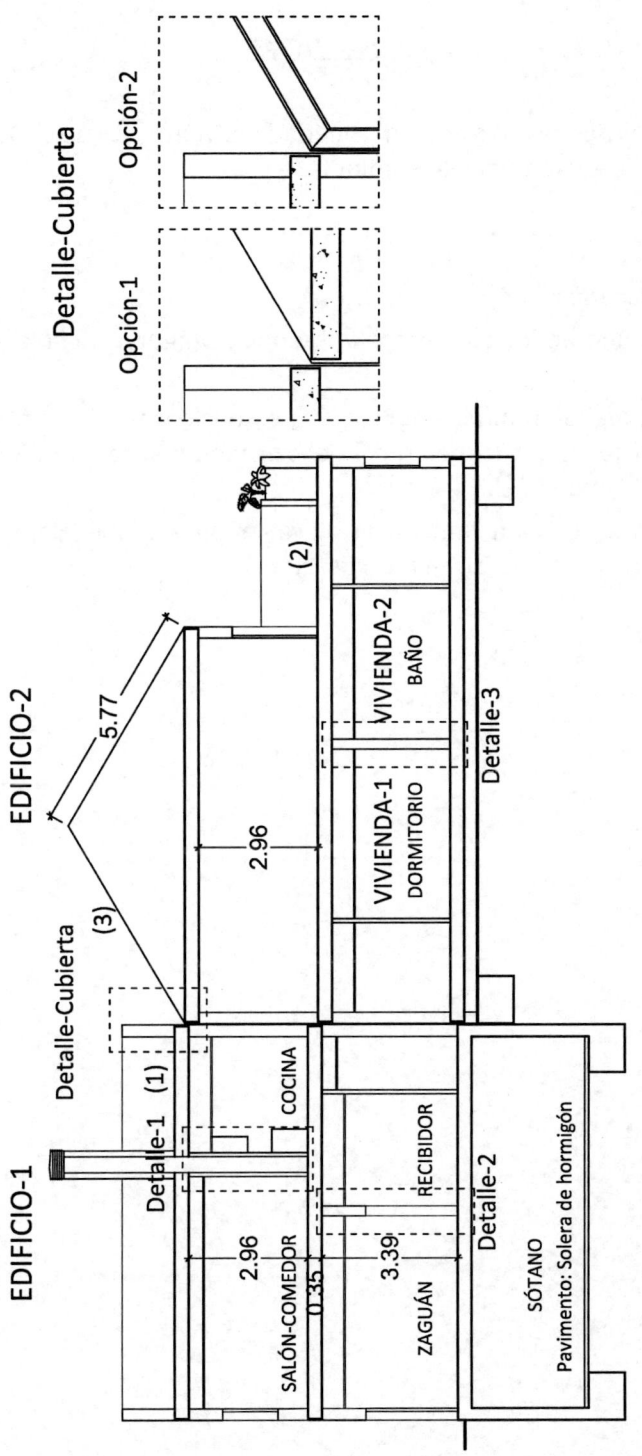

Detalle-Cubierta

Opción-1   Opción-2

EDIFICIO-2

EDIFICIO-1

Detalle-Cubierta

(3)

(2)

5.77

2.96

VIVIENDA-1
DORMITORIO

VIVIENDA-2
BAÑO

Detalle-3

Detalle-1 (1)

COCINA

RECIBIDOR

Detalle-2

2.96

0.35

SALÓN-COMEDOR

3.39

ZAGUÁN

SÓTANO

Pavimento: Solera de hormigón

FACHADAS

ENUNCIADO:

En un edificio de viviendas ubicado en la ciudad de Murcia cuya sección de la fachada es la que se puede observar en el plano adjunto.

Se pide:

- **BLOQUE II:** Fachadas.

    -**Definir** cada uno de los elementos indicados configurando la leyenda de la sección constructiva.

    -**Identificar** aquellos puntos singulares que consideres están faltos de definición y proponer soluciones que lo mejoren (hueco de ventana, paso por forjado y antepecho), teniendo en cuenta el CTE.

    -Si el edificio se ubicara junto a la playa, **enumera** qué elementos deberían ser modificados y argumenta dicha modificación.

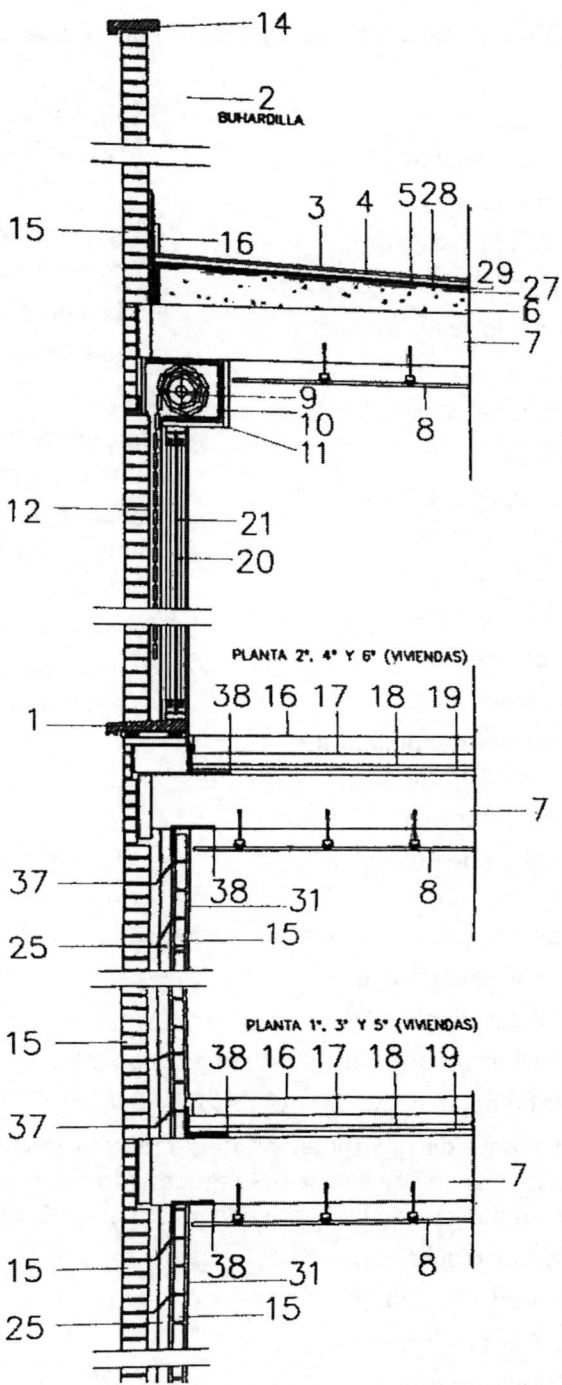

FINAL JULIO 2010. MODELO A

Del Hotel San Juan City, situado a primera línea de la playa de San Juan.

Se sabe:

- **Cubiertas:**
  - **(1):** Transitable, pavimento flotante.
  - **(2):** No transitable, grava.
  - **(3):** Tráfico rodado, asfalto.
  - **(4):** Industrial, deck (faldón de 4 m).
- **Particiones:** Placa de yeso laminado.
- **Falsos techos:**
  - **Dormitorios:** Placa de yeso laminado.
  - **Cocina:** Escayola.
  - **Restaurante:** Desmontable con acondicionamiento acústico.
  - **Baños:** A criterio del técnico.
  - **Pasillo común:** A criterio del técnico.
- **Encuentro con el terreno:**
  - **Presencia de agua:** Alta.
  - **Coeficiente de permeabilidad del terreno:** $10^{-5} < Ks < 10^{-2}$ cm/s.
  - **Muro:** Flexorresistente.
  - Sótano con solera de hormigón.

- **Pavimentos:**
  - **Dormitorios:** Madera con colocación flotante.
  - **Restaurante:** Pavimento continuo de terrazo sintético.
  - **Cocina:** Gres.
  - **Pasillo común:** Mármol.
- **Carpintería interior:** Wengué.
- **Carpintería exterior:** Compacto de aluminio lacado en gris.
- **Fachada:** A criterio del técnico, sabiendo que al menos debe tener un:
  - Aplacado de piedra de bateig.
  - Aislamiento térmico de poliuretano proyectado.

Se pide:

- **BLOQUE I:** Particiones, pavimentos, falsos techos, etc.
  - **Realizar las secciones verticales:**
    - **Sección 1:** Encuentro con el terreno.
    - **Sección 2:** Pasillo común / Dormitorio habitación 301.
    - **Sección 3:** Baño habitación 101 / Ascensor.
  - **Calcular** el coeficiente de reverberación que deberían tener las placas para que el tiempo límite de reverberación sea de 0,9 segundos conforme el CTE DB-HR, teniendo en cuenta que las dimensiones de la zona de mesas es de 6,30x9,50 m.

- **BLOQUE II:** Cubiertas y fachadas.
  - **Realizar las secciones verticales:**
    - **Detalle A:** Cubierta y jardinera.
    - **Detalle B:** Cubierta plana.
    - **Detalle C:** Fachada (ha de verse el paso por el frente del forjado).

OPCIÓN - A

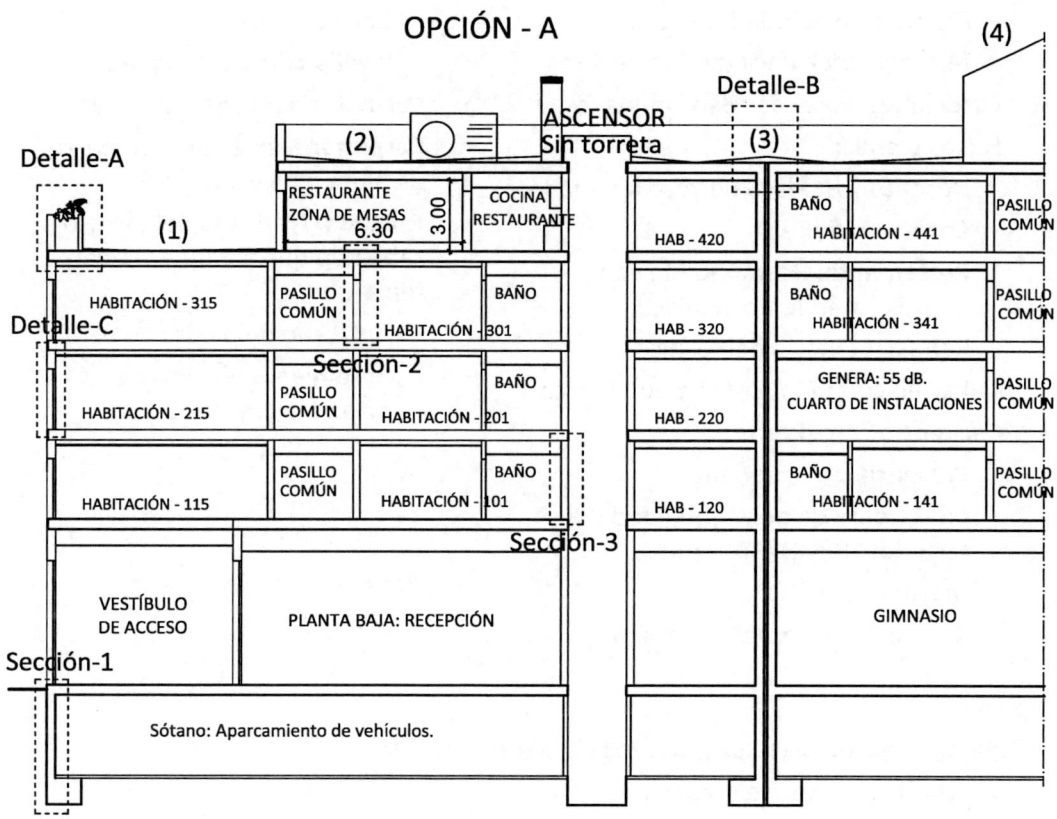

ENUNCIADO:

Del Hotel San Juan City, situado a primera línea de la playa de San Juan.

Se sabe:

- **Cubiertas:**
    - **(1):** Transitable, pavimento flotante.
    - **(2):** No transitable, grava.
    - **(3):** De tráfico rodado, asfalto.
    - **(4):** Industrial, deck (faldón de 4 m).
- **Particiones:** Placa de yeso laminado.
- **Falsos techos:**
    - **Dormitorios:** Placa de yeso laminado.
    - **Cocina:** Aluminio.
    - **Restaurante:** Desmontable con acondicionamiento acústico.
    - **Baños:** A criterio del técnico.
    - **Pasillo común:** A criterio del técnico.
- **Encuentro con el terreno:**
    - **Presencia de agua:** Alta.
    - **Coeficiente de permeabilidad del terreno:** $10^{-5} < Ks < 10^{-2}$ cm/s.
    - **Muro:** Flexorresistente.
    - Sótano con solera de hormigón.

- **Pavimentos:**
    - **Dormitorios:** Corcho en rollos.
    - **Restaurante:** Porcelánico.
    - **Cocina:** Terrazo.
    - **Pasillo común:** Moqueta.
- **Carpintería interior:** Wengué.
- **Carpintería exterior:** Compacto de aluminio lacado en gris.
- **Fachada:** A criterio del técnico, sabiendo que al menos debe tener un:
    - Aplacado de piedra de bateig.
    - Aislamiento térmico de poliuretano proyectado.

Se pide:

- **BLOQUE I: Particiones, pavimentos, falsos techos, etc.**
    - **Realizar las secciones verticales:**
        - **Sección 1:** Baño y dormitorio de la habitación 341.
        - **Sección 2:** Dormitorio (habitación 220) / Cuarto de instalaciones.
        - **Sección 3:** Encuentro con el terreno.
    - **Calcular** el coeficiente de reverberación que deberían tener las placas para que el tiempo límite de reverberación sea de 0,9 segundos conforme el CTE DB-HR, teniendo en cuenta que las dimensiones de la zona de mesas es de 6,30x9,50 m.
- **BLOQUE II: Cubiertas y fachadas.**
    - **Realizar las secciones verticales:**
        - **Detalle A:** Cubierta y máquina de aire.
        - **Detalle B:** Fachada y cubierta.
        - **Detalle C:** Fachada (ha de verse el paso por el frente del forjado).

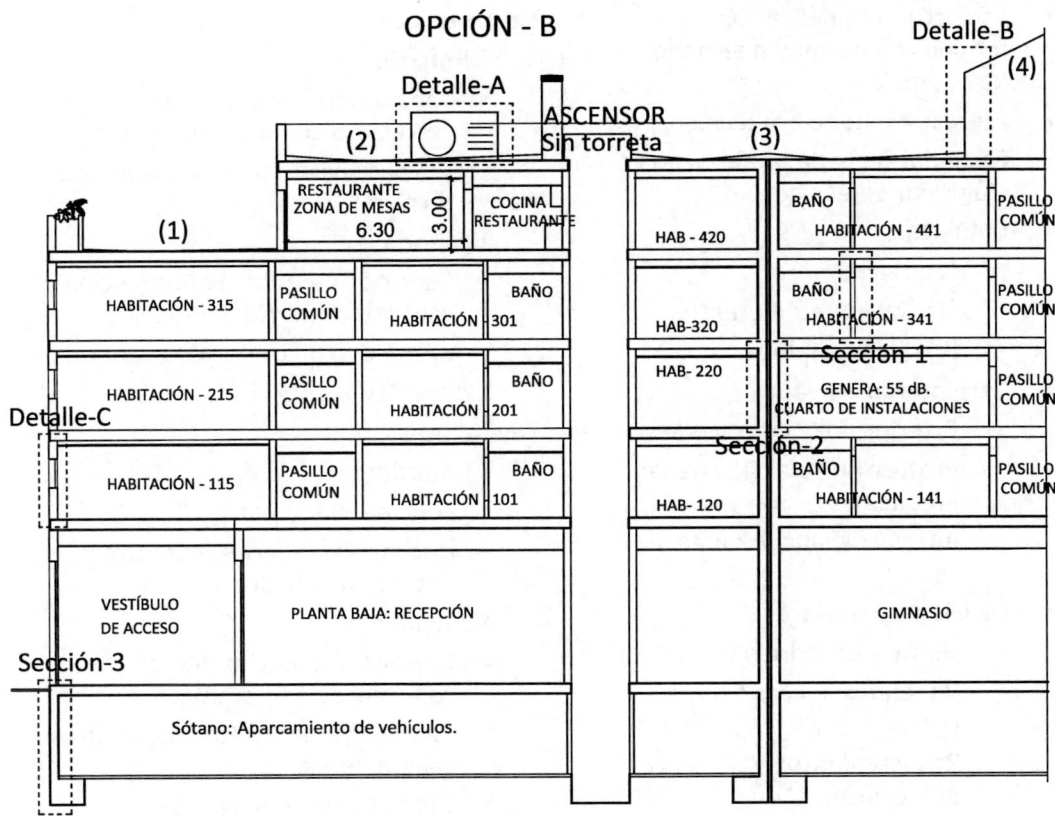

OPCIÓN - B

Detalle-B

(4)

Detalle-A

(2) ASCENSOR
Sin torreta

(3)

Detalle-C

Sección-3

EXTRAORDINARIO DICIEMBRE 2010

ENUNCIADO:

Se tiene un edificio industrial dentro de la trama urbana en Madrid. Dicho edificio se ha rehabilitado y transformado en un edificio residencial con sótano para aparcamientos y cuartos de instalaciones, 6 viviendas en planta baja de 110 m² útiles y una planta piso de uso comunitario que alberga un gimnasio (con vestuarios, duchas, etc.), sala de reuniones, barbacoa y terraza.

Se sabe:

- **Estructura:** Metálica con forjados de hormigón armado (la original).
- **Aleros:** A criterio del técnico.
- **Fachada:** Fachada prefabricada a elegir por el técnico.
- **Cubiertas:**
    - **(1):** Deck.
    - **(2):** Pavimento flotante.
    - **(3):** Placa asfáltica.
- **Carpintería:**
    - **Exterior:** De PVC correderas.
    - **Protección solar:** Persianas enrollables.
    - **Interior:** Acabado en haya lisa.
- **Divisiones interiores:**
    - **Gimnasio:** Ladrillo cerámico.
    - **Viviendas:** Placas de yeso laminado.
    - **Revestimientos:** A criterio del técnico.

- **Falsos techos:**
    - **Gimnasio:**
        - Zona de máquinas, desmontable con acondicionamiento acústico.
        - Duchas y vestuarios, a criterio del técnico.
    - **Vivienda:**
        - Cuartos húmedos (baños, cocina y galería), a criterio del técnico.
        - Resto, con placa de yeso continua.
    - **Exteriores:** A criterio del técnico.
- **Pavimentos:**
    - **Gimnasio:**
        - Zona de máquinas, PVC.
        - Duchas y vestuarios, conforme criterio del técnico.
    - **Viviendas:**
        - Dormitorios, pavimento de corcho con colocación flotante.
        - Cuartos húmedos (baños, cocina y galería), gres.
        - Salón, baldosa hidráulica.

Se pide:

- **BLOQUE I:** Particiones, pavimentos, falsos techos, etc.
    - **Realizar las secciones verticales:**
        - **Detalle A:** Sección entre Duchas-vestuarios y Gimnasio.
        - **Detalle B:** Sección entre Dormitorio y Cocina.
        - **Detalle C:** Sección por el acceso a la vivienda.
- **BLOQUE II:** Cubiertas y fachadas.
    - **Realizar las secciones verticales:**
        - **Detalle 1:** Fachada por la ventana.
        - **Detalle 2:** Cubierta prefabricada tipo deck.
        - **Detalle 3:** Encuentro de cubierta plana e inclinada.

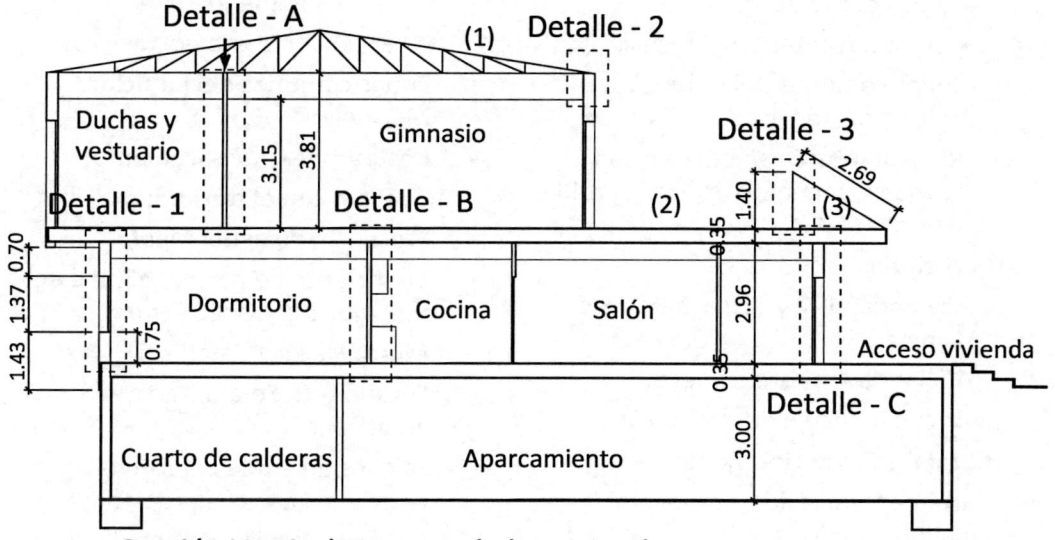

Detalle - A

(1) Detalle - 2

Duchas y vestuario

Gimnasio

Detalle - 3

3.15 3.81

2.69

Detalle - 1

Detalle - B

(2)

1.40

(3)

0.70 1.37 1.43

0.35

Dormitorio

Cocina

Salón

2.96

0.75

0.35

Acceso vivienda

Detalle - C

Cuarto de calderas

Aparcamiento

3.00

Sección Vertical: Por una de las viviendas

ENUNCIADO:

Se tiene un edificio de viviendas de protección oficial en Villajoyosa, compuesto por una planta sótano destinada a garaje y trasteros, planta baja para un restaurante, y el resto de plantas para viviendas.

Se sabe:

- **Falsos techos:**
  - **Viviendas:**
    - Salón y dormitorios: Registrable con junta oculta de escayola.
    - Cocina: Metálico.
    - Baños: A criterio del técnico.
  - **Zonas comunes del edificio:** A criterio del técnico.
  - **Restaurante:** Desmontable con acondicionamiento acústico y ruido aéreo.

- **Particiones:**
  - **Viviendas 1, 2 y 3:** Placa de yeso laminado.
  - **Vivienda 4:** Ladrillo hueco.
  - **Local:** Partición desmontable.

- **Carpintería interior:** Roble.

- **Carpintería exterior:** Compacto de aluminio lacado en gris.

- **Pavimentos:**
  - **Viviendas:**
    - Salón y dormitorios: Tarima con colocación flotante.
    - Cuartos húmedos: Gres.
    - Pasillo: A criterio del técnico.
  - **Zonas comunes del edificio:** Mármol.
  - **Restaurante:** Microcemento.

- **Encuentro con el terreno:**
  - **Presencia de agua:** Media.
  - **Coeficiente de permeabilidad del terreno:** $10^{-5} < Ks < 10^{-2}$ cm/s.
  - **Muro:** Flexorresistente.
  - **Sótano (-1):** Solera (zapatas aisladas).
  - Se considera que el terreno perimetral es de la propiedad.
  - Acera de tránsito peatonal.

Se pide:

- **BLOQUE I: Particiones, pavimentos, falsos techos, etc.**
  - **Realizar las secciones verticales** (por la primera planta piso del edificio):
    - **Sección A-A':** Salón / Cocina.
    - **Sección B-B':** Puerta de entrada a vivienda.
    - **Sección C-C':** Local comercial (partición desmontable).
    - **Encuentro con el terreno:** Coronación muro y arranque de fachada.
  - **Realizar la sección horizontal del Detalle D.**
  - **Calcular:**
    - El coeficiente de reverberación de las placas en el Dor-1, teniendo en cuenta que las dimensiones del dormitorio son de 4,50x2,70 m.
    - El tipo y características de la lámina antimpacto y el falso techo a colocar en el siguiente caso: Masa del forjado 350 kg/m² y tabiquería cerámica apoyada en bandas elásticas.

Recinto de instalaciones
Vivienda

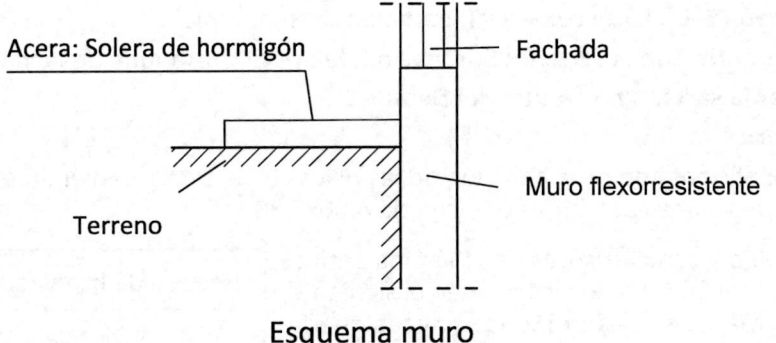

Modelo-A

14.00

Salón

Galería

Cocina

Viv. 4

B'

B

Viv. 3

Cocina

A'

2.40

Galería

A

3.85

Salón

5.20

2.70

4.50

Dor-1

33.03

Detalle-D

Viv. 2

Viv. 1

Zaguán

Baños

Cocina

RESTAURANTE

Zaguán

Almacén

C

C'

Partición desmontable

Acera: Solera de hormigón

Fachada

Muro flexorresistente

Terreno

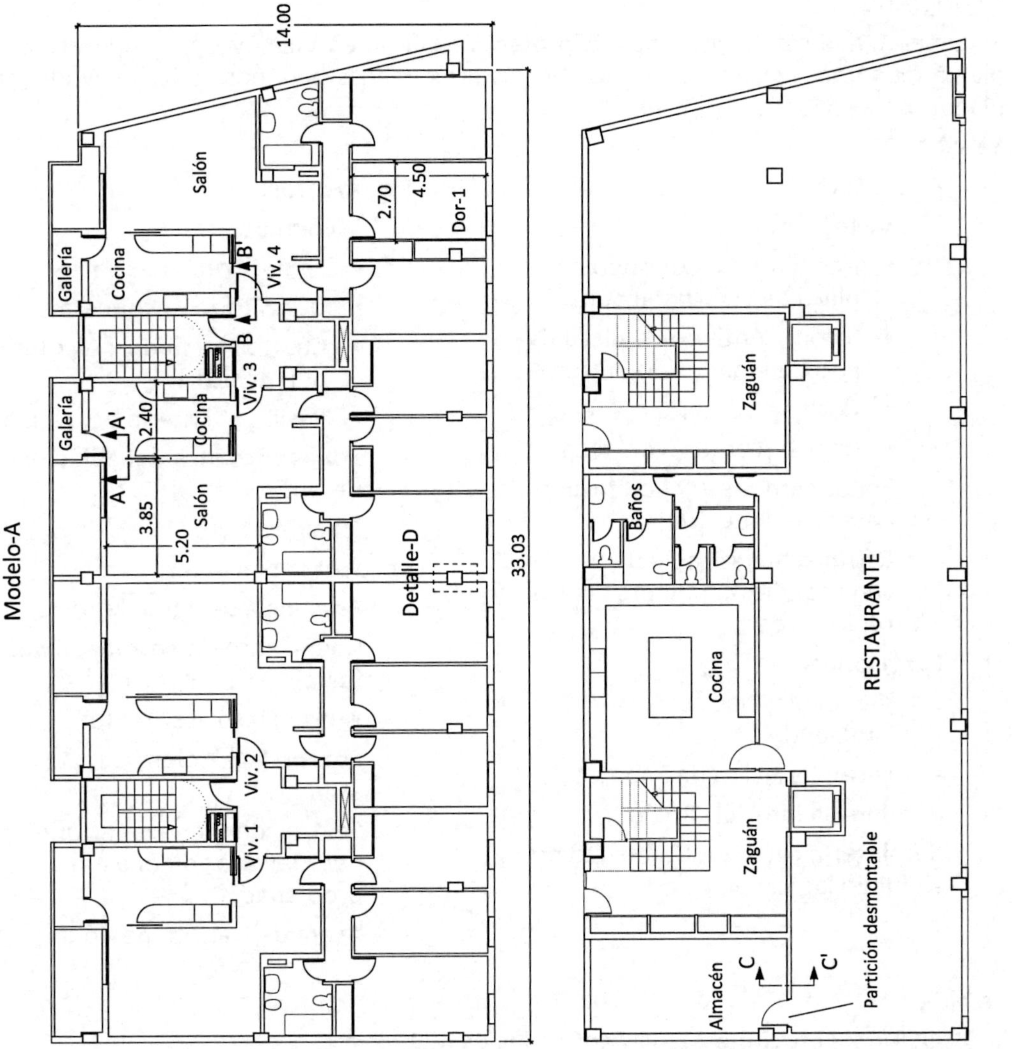

Esquema muro

ENUNCIADO:

Se tiene un edificio de viviendas de protección oficial en Villajoyosa, compuesto por una planta de sótano destinada a garaje y trasteros, planta baja para oficinas, y el resto de plantas para viviendas.

Se sabe:

- **Falsos techos:**
  - **Viviendas:**
    - Dormitorios: Continuo de placa de yeso laminado.
    - Salón: Continuo de placa de yeso laminado con entrecalle.
    - Cocina: A criterio del técnico.
    - Baños: A criterio del técnico.
  - **Zonas comunes del edificio:** A criterio del técnico.
  - **Oficinas:** Registrable de madera con acondicionamiento acústico y ruido aéreo.
- **Particiones:**
  - **Viviendas:** Placa de yeso laminado.
  - **Local:** Partición desmontable.
- **Carpintería interior:** Roble.
- **Carpintería exterior:** Compacto de aluminio lacado en gris.

- **Pavimentos:**
  - **Viviendas:**
    - Salón: Corcho en rollos.
    - Dormitorios: Moqueta.
    - Cuartos húmedos: A criterio del técnico.
    - Pasillo: A criterio del técnico.
  - **Zonas comunes del edificio:** Cerámico.
  - **Oficinas:** PVC.
- **Encuentro con el terreno:**
  - **Presencia de agua:** Media.
  - **Coeficiente de permeabilidad del terreno:** $10^{-5} < Ks < 10^{-2}$ cm/s.
  - **Muro:** Flexorresistente.
  - **Sótano (-1):** Solera (zapatas aisladas).
  - Se considera que el terreno perimetral es de nuestra propiedad.
  - Acera de tránsito peatonal.

Se pide:

- **BLOQUE I: Particiones, pavimentos, falsos techos, etc.**
  - **Realizar las secciones verticales** (por la primera planta piso del edificio):
    - **Sección A-A':** Puerta de entrada / Pasillo / Salón / Baño.
    - **Sección B-B':** Local comercial (partición desmontable).
    - **Encuentro con el terreno:** Coronación del muro y arranque de fachada.
  - **Realizar la sección horizontal del Detalle C.**
  - **Calcular:**
    - El coeficiente de reverberación de las placas en el Dor-1, teniendo en cuenta que las dimensiones del dormitorio son de 4,60x2,80 m.
    - El tipo y características de la lámina antimpacto y el falso techo a colocar en el siguiente caso: Masa del forjado 350 kg/m² y tabiquería cerámica apoyada en bandas elásticas.

| Recinto de instalaciones |
| Vivienda |

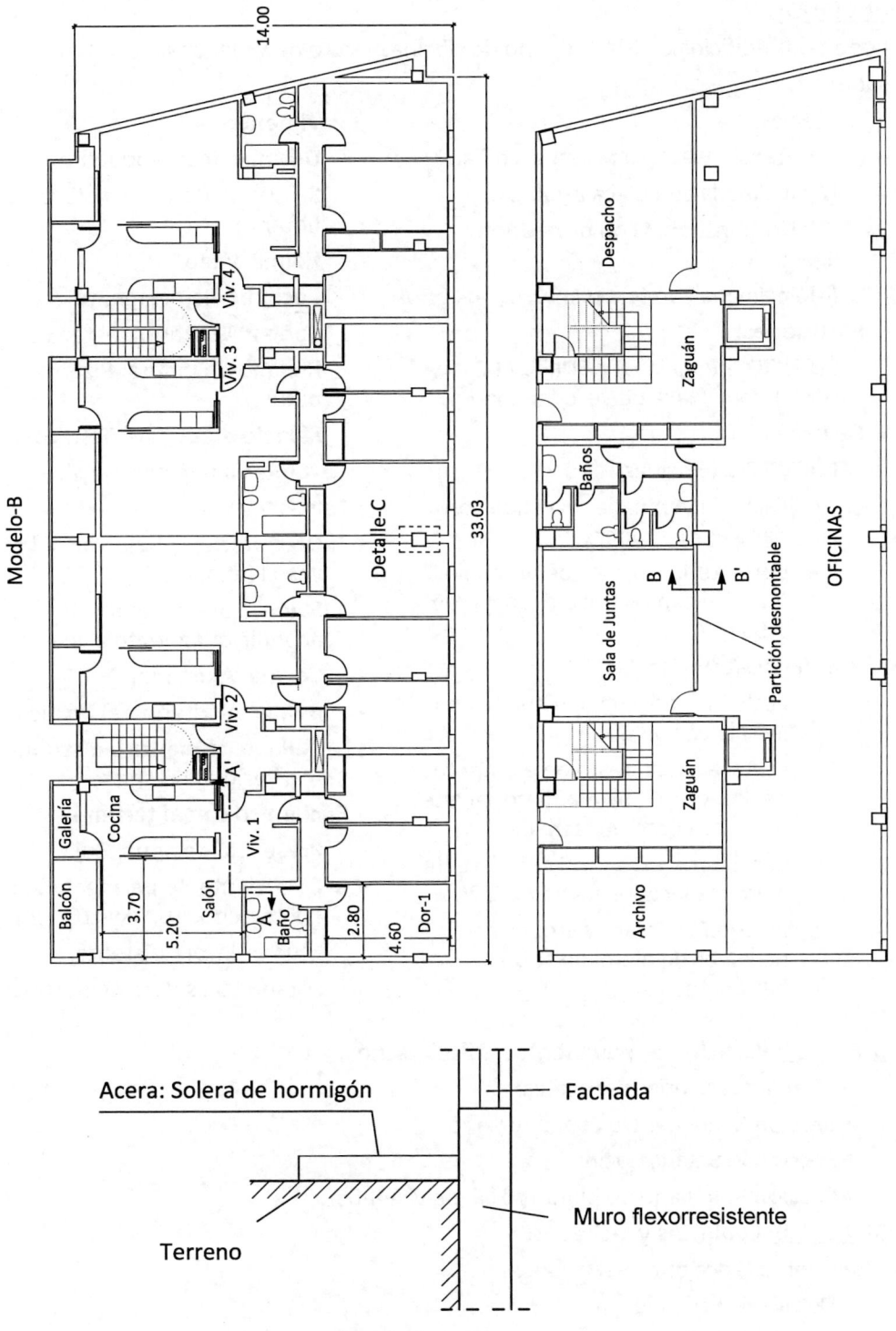

Esquema muro

FINAL JUNIO 2011. MODELO A

ENUNCIADO:

Se tienen dos edificios en Madrid, uno de oficinas y otro de viviendas.

Se sabe:

- **Cubiertas:**
  - **(1):** Transitable, losa filtrón o similar.
  - **(2):** Inclinada con placa asfáltica.
  - **(3):** No transitable con protección ligera.
  - **(4):** Inclinada con teja plana.

- **Particiones:**
  - **EDIFICIO-1** (Oficinas) y **EDIFICIO-2** (Viviendas): Placa de yeso laminado.

- **Fachadas:**
  - **EDIFICIO-1** (Oficinas):
    - Fachada ventilada revestida con paneles de madera.
    - Carpintería exterior de aluminio abatible con compacto, ancho de 1,50 m.
  - **EDIFICIO-2** (Viviendas):
    - Fachada tradicional, resuelta con ladrillo caravista.
    - Dintel a rosca, resto de elementos del hueco del mismo material que el cerramiento de fachada.
    - Carpintería exterior: Corredera de aluminio lacado, ancho de 2,20 m.
    - Protección Solar: Marquesina de lamas de aluminio sobre balconera.

- **Pavimentos:**
  - **Dormitorios:** Moqueta.
  - **Salón:** Madera con colocación flotante.
  - **Hall:** Linóleo.
  - **Cocina:** Microcemento.
  - **Baños:** A criterio del técnico
  - **Rellano de planta:** Pizarra natural.
  - **Sala de máquinas:** Terrazo.

- **Carpintería interior:** Haya.

- **Falsos techos:**
  - **Dormitorios y hall:** Placa de yeso laminado.
  - **Salón:** Continuo con acondicionamiento acústico.
  - **Cocina:** Aluminio.
  - **Baños:** A criterio del técnico.
  - **Rellano de planta o distribuidor:** A criterio del técnico.

- **Encuentro con el terreno:**
  - **Presencia de agua:** Baja.
  - **Coeficiente de permeabilidad del terreno:** $10^{-5} < Ks < 10^{-2}$ cm/s.
  - **Muro:** Flexorresistente.
  - Sótano con solera de hormigón.

Se pide:

- **BLOQUE I:** Particiones, pavimentos, falsos techos, etc.
  - **Realizar las secciones verticales:**
    - **Sección 1:** Encuentro con el terreno.
    - **Sección 2:** Salón /Cocina.
    - **Sección 3:** Rellano de planta / Hall de vivienda.

- **BLOQUE II:** Cubiertas y fachadas.
  - **Realizar las secciones verticales:**
    - **Detalle A:** Fachada.
    - **Detalle B:** Cubiertas.
    - **Detalle C:** Fachada y cubierta.

OPCIÓN - A

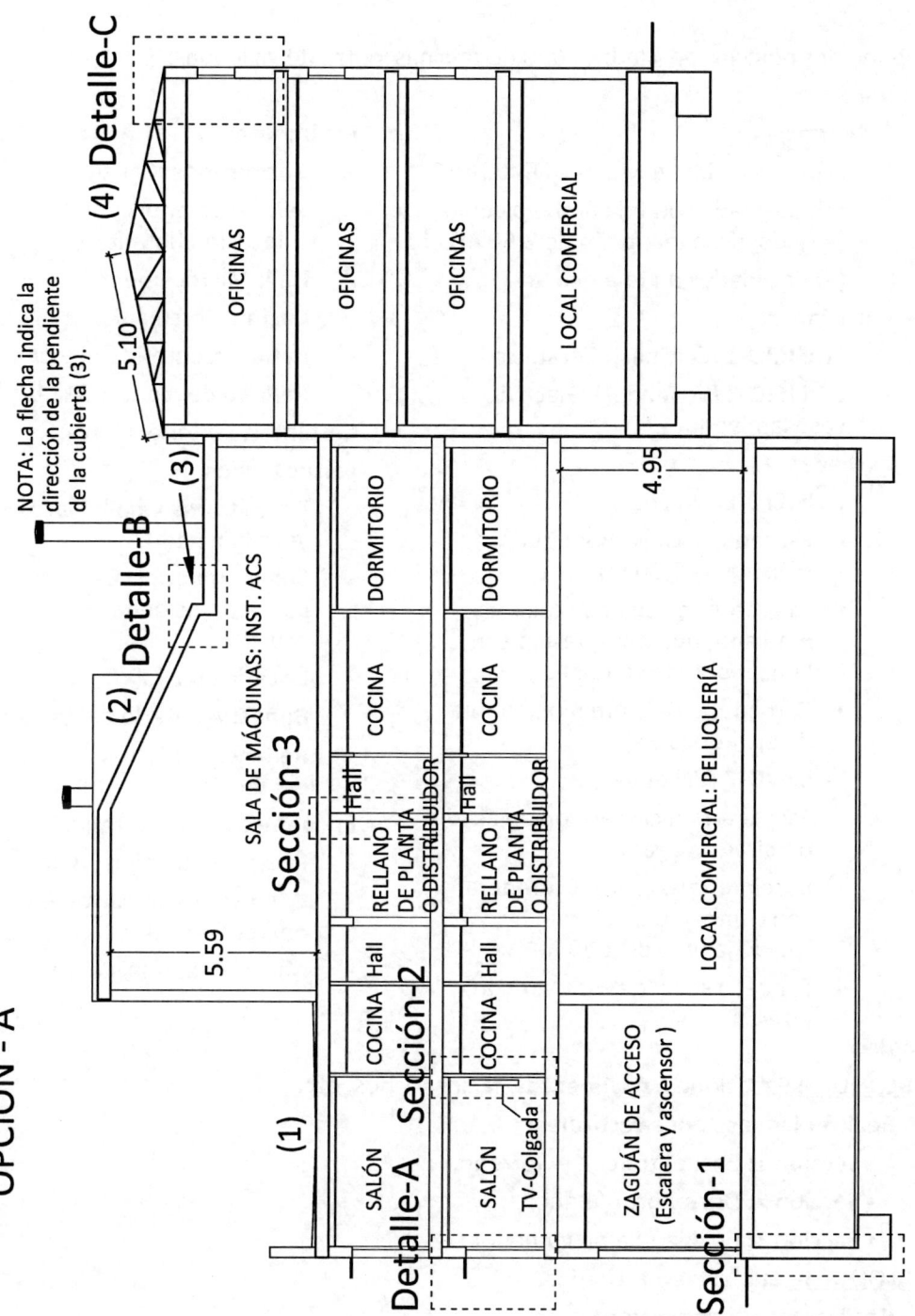

(4) Detalle-C

NOTA: La flecha indica la dirección de la pendiente de la cubierta (3).

5.10

Detalle-B

(3)

(2)

OFICINAS

OFICINAS

OFICINAS

LOCAL COMERCIAL

DORMITORIO

DORMITORIO

4.95

SALA DE MÁQUINAS: INST. ACS

COCINA

COCINA

Sección-3

Hall

Hall

RELLANO DE PLANTA O DISTRIBUIDOR

RELLANO DE PLANTA O DISTRIBUIDOR

5.59

COCINA

COCINA

Hall

Hall

Sección-2

LOCAL COMERCIAL: PELUQUERÍA

SALÓN

SALÓN

TV-Colgada

ZAGUÁN DE ACCESO
(Escalera y ascensor)

(1)

Detalle-A

Sección-A

Sección-1

FINAL JUNIO 2011. MODELO B

ENUNCIADO:

Se tienen dos edificios en Madrid, uno de oficinas y otro de viviendas.

Se sabe:

- **Cubiertas:**
  - **(1):** Transitable, pavimento flotante.
  - **(2):** Inclinada con teja árabe o curva (forjado inclinado, paño de 2,50 m).
  - **(3):** Inclinada con teja plana.
- **Particiones:**
  - **EDIFICIO-1** (Oficinas): Cerámico.
  - **EDIFICIO-2** (Viviendas): Placa de yeso laminado.
- **Fachadas:**
  - **EDIFICIO-1** (Oficinas):
    - Fachada: U-Glass (longitud máxima de 3,00 m).
    - La protección solar se realiza mediante una marquesina con lamas sobre la ventana.
    - Carpintería de aluminio abatible de eje horizontal.
  - **EDIFICIO-2** (Viviendas):
    - Fachada tradicional, con aplacado de pizarra pegado.
    - Carpintería exterior: Corredera con compacto de aluminio lacado, ancho de 1,30 m.
    - El hueco se ha de resolver con pizarra.

- **Pavimentos:**
  - **Dormitorios:** Caucho.
  - **Salón-comedor:** Corcho con colocación flotante.
  - **Hall:** Microcemento.
  - **Cocina:** Porcelánico.
  - **Baños:** A criterio del técnico.
  - **Rellano de planta:** Terrazo.
- **Carpintería interior:** Haya.
- **Falsos techos:**
  - **Dormitorios y hall:** Placa de yeso laminado.
  - **Salón-comedor:** Desmontable con acondicionamiento acústico.
  - **Cocina:** Escayola.
  - **Baños:** A criterio del técnico.
  - **Rellano de planta:** A criterio del técnico.
- **Encuentro con el terreno:**
  - **Presencia de agua:** Baja.
  - **Coeficiente de permeabilidad del terreno:** $10^{-5}<Ks<10^{-2}$ cm/s.
  - **Muro:** Flexorresistente.

Se pide:

- **BLOQUE I:** Particiones, pavimentos, falsos techos, etc.
  - **Realizar las secciones verticales:**
    - **Sección 1:** Encuentro con el terreno.
    - **Sección 2:** Dormitorio / Baño.
    - **Sección 3:** Cocina / Salón comedor.
- **BLOQUE II:** Cubiertas y fachadas.
  - **Realizar las secciones verticales:**
    - **Detalle A:** Fachada.
    - **Detalle B:** Cubiertas.
    - **Detalle C:** Fachada y cubierta.

OPCIÓN - B

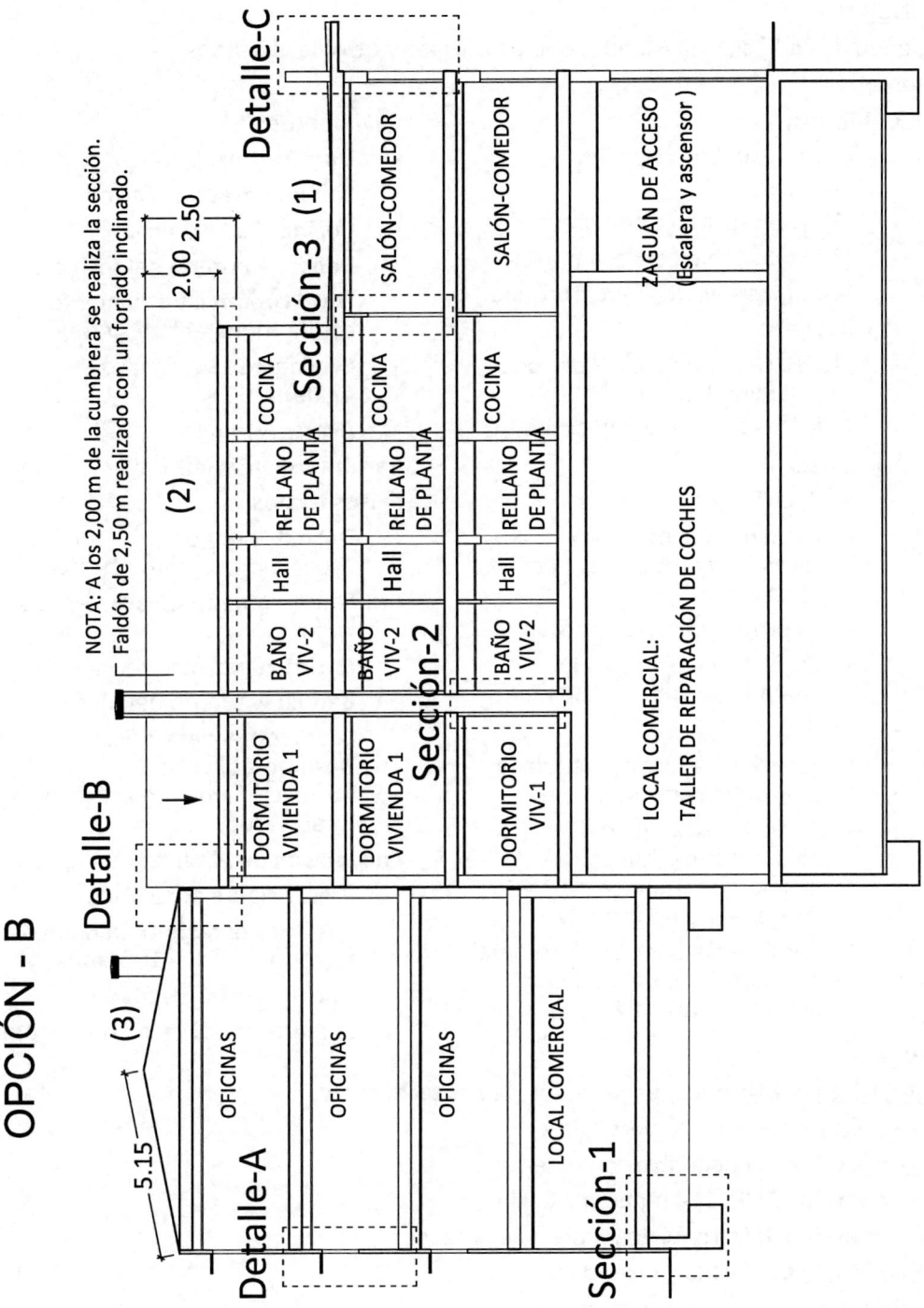

NOTA: A los 2,00 m de la cumbrera se realiza la sección.
Faldón de 2,50 m realizado con un forjado inclinado.

Detalle-C

Sección-3 (1)

SALÓN-COMEDOR

SALÓN-COMEDOR

ZAGUÁN DE ACCESO
(Escalera y ascensor)

(2)

2.00 2.50

COCINA

COCINA

COCINA

RELLANO
DE PLANTA

RELLANO
DE PLANTA

RELLANO
DE PLANTA

Hall

Hall

Hall

Sección-2

BAÑO
VIV-2

BAÑO
VIV-2

BAÑO
VIV-2

LOCAL COMERCIAL:
TALLER DE REPARACIÓN DE COCHES

Detalle-B

DORMITORIO
VIVIENDA 1

DORMITORIO
VIVIENDA 1

DORMITORIO
VIV-1

(3)

5.15

Detalle-A

OFICINAS

OFICINAS

OFICINAS

LOCAL COMERCIAL

Sección-1

FINAL JULIO 2011. MODELO A

ENUNCIADO:

Se tienen dos edificios en Madrid, uno de oficinas y otro de viviendas.

Se sabe:

- **Cubiertas:**
  - **(1):** Transitable, pavimento flotante.
  - **(2):** No transitable con grava.
  - **(3):** Transitable con losa filtrón.
  - **(4):** Industrial, deck prefabricada.
- **Particiones:**
  - **EDIFICIO-1** (Oficinas): Placa de yeso laminado.
  - **EDIFICIO-2** (Viviendas): Cerámica.
- **Fachadas:**
  - **EDIFICIO-1** (Oficinas):
    - Fachada convencional revestida con paneles tipo sándwich.
    - La protección solar persiana.
    - Carpintería de aluminio abatible, ancho de 1,50 m.
  - **EDIFICIO-2** (Viviendas):
    - Fachada tradicional ventilada, de ladrillo caravista.
    - Dintel a rosca, resto de elementos del hueco del mismo material que el cerramiento de fachada.
    - Carpintería exterior: Corredera con compacto de aluminio lacado, ancho de 2,20 m.

- **Pavimentos:**
  - **Dormitorios:** Linóleo.
  - **Salón-comedor:** Mármol.
  - **Cocina:** Porcelánico.
  - **Baños:** A criterio del técnico.
  - **Local comercial:** Pavimento continuo de terrazo sintético.
  - **Oficinas:** Suelo técnico de madera.
  - **Acera:** Adoquín.
- **Carpintería interior:** Haya.
- **Falsos techos:**
  - **Dormitorio:** Continuo con acondicionamiento acústico.
  - **Salón-comedor:** Placa de yeso laminado.
  - **Cocina:** Escayola.
  - **Baños:** A criterio del técnico.
  - **Local comercial y oficinas:** Desmontable con acondicionamiento acústico y ruido aéreo.
- **Encuentro con el terreno:**
  - **Presencia de agua:** Alta.
  - **Coeficiente de permeabilidad del terreno:** $10^{-5}<Ks<10^{-2}$ cm/s.
  - **Muro:** El más adecuado.
  - Sótano con solera de hormigón.

Se pide:

- **BLOQUE I:** Particiones, pavimentos, falsos techos, etc.
  - **Realizar las secciones verticales:**
    - **Sección 1:** Encuentro con el terreno.
    - **Sección 2:** Salón-comedor / Cocina.
    - **Sección 3:** Dormitorio / Hueco de ascensor.
- **BLOQUE II:** Cubiertas y fachadas.
  - **Realizar las secciones verticales:**
    - **Detalle A:** Fachada y cubierta.
    - **Detalle B:** Cubierta seccionada por la chimenea.
    - **Detalle C:** Salida del Salón-comedor a terraza.

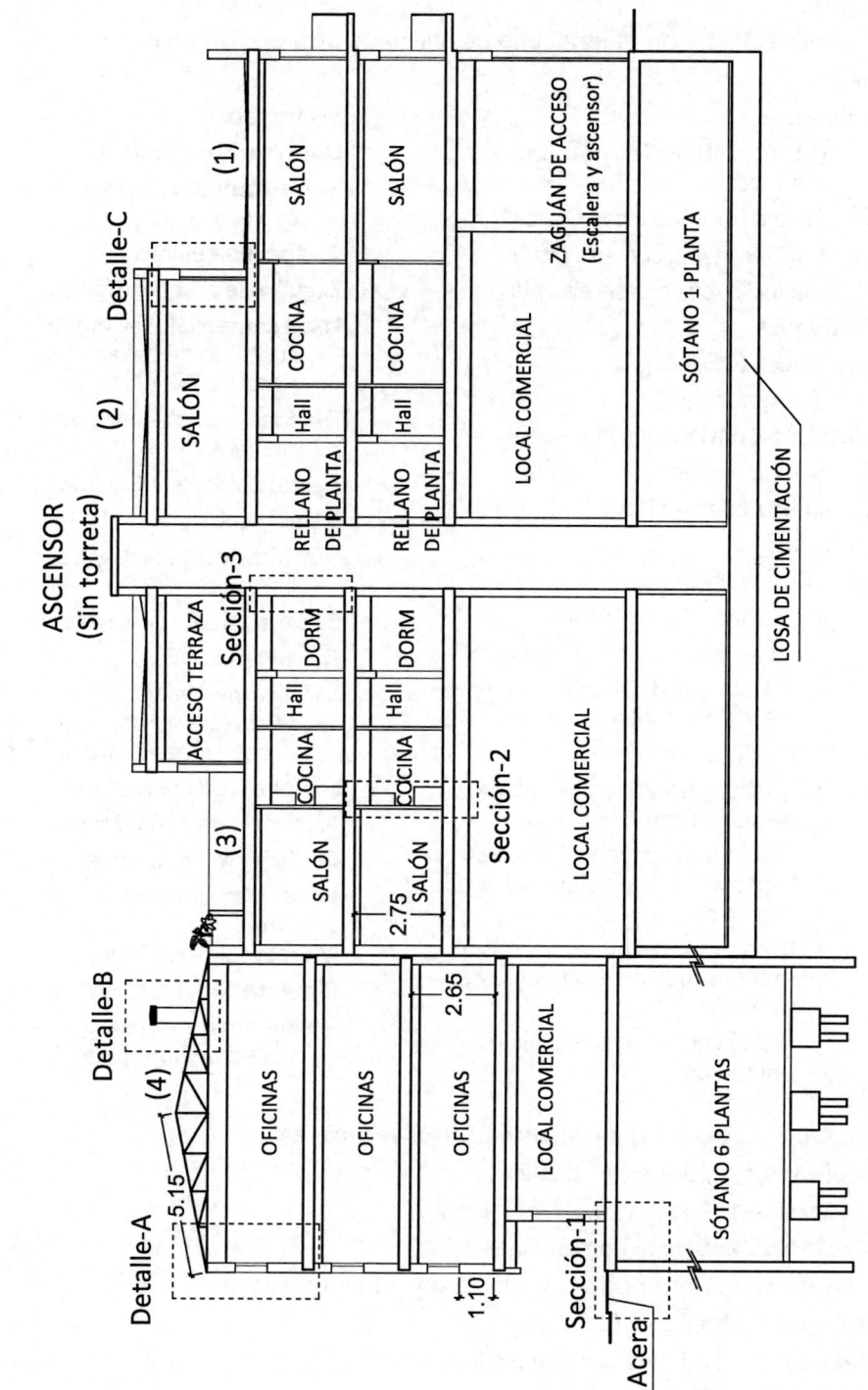

OPCIÓN - A

ASCENSOR
(Sin torreta)

(1)

Detalle-C

(2)

SALÓN

SALÓN

COCINA

Hall

RELLANO
DE PLANTA

SALÓN

COCINA

Hall

RELLANO
DE PLANTA

ZAGUÁN DE ACCESO
(Escalera y ascensor)

LOCAL COMERCIAL

SÓTANO 1 PLANTA

LOSA DE CIMENTACIÓN

Sección-3

ACCESO TERRAZA

DORM

Hall

COCINA

DORM

Hall

COCINA

(3)

SALÓN

SALÓN

2.75

Sección-2

LOCAL COMERCIAL

Detalle-B

(4)

Detalle-A

5.15

OFICINAS

OFICINAS

OFICINAS

2.65

LOCAL COMERCIAL

SÓTANO 6 PLANTAS

1.10

Sección-1

Acera

FINAL JULIO 2011. MODELO B

ENUNCIADO:

Se tienen dos edificios en Madrid, uno de oficinas y otro de viviendas.

Se sabe:

- **Cubiertas:**
  - **(1):** Transitable, pavimento flotante.
  - **(2):** No transitable con grava.
  - **(3):** Transitable con losa filtrón.
  - **(4):** Inclinada con teja alicantina.
- **Particiones:**
  - **EDIFICIO-1** (Oficinas): Desmontables.
  - **EDIFICIO-2** (Viviendas): Placa de yeso laminado.
- **Carpintería interior:** Haya.
- **Fachadas:**
  - **EDIFICIO-1** (Oficinas):
    - Fachada: Muro cortina.
    - Protección solar con venecianas.
    - Carpintería de aluminio abatible de eje horizontal.
  - **EDIFICIO-2** (Viviendas):
    - Fachada tradicional ventilada, revestida con monocapa.
    - Carpintería exterior: Corredera con compacto de aluminio lacado, ancho de 2,20 m.
    - Elementos del hueco del mismo material que el cerramiento de fachada.
    - Balcón de vidrio con anclajes metálicos.

- **Pavimentos:**
  - **Dormitorios:** Moqueta.
  - **Salón-comedor:** Tarima con rastreles.
  - **Cocina:** Porcelánico.
  - **Zaguán de acceso:** Granito.
  - **Local comercial:** Pavimento continuo de terrazo sintético.
  - **Oficinas:** Suelo técnico de madera.
  - **Acera:** Baldosa hidráulica.
- **Falsos techos:**
  - **Dormitorio:** Placa de yeso laminado.
  - **Salón-comedor:** Escayola.
  - **Cocina:** Aluminio.
  - **Local comercial y oficinas:** Desmontable con acondicionamiento acústico.
- **Encuentro con el terreno:**
  - **Presencia de agua:** Media.
  - **Coeficiente de permeabilidad del terreno:** $Ks \geq 10^{-2}$ cm/s.
  - **Muro:** Flexorresistente.
  - **Cimentación:** Losa.
  - Pavimento de sótano con solera de hormigón.

Se pide:

- **BLOQUE I:** Particiones, pavimentos, falsos techos, etc.
  - Realizar las secciones verticales:
    - **Sección 1:** Encuentro con el terreno.
    - **Sección 2:** Despacho / Oficinas.
    - **Sección 3:** Dormitorio (viv. 1) / Salón-comedor (viv. 2).
- **BLOQUE II:** Cubiertas y fachadas.
  - Realizar las secciones verticales:
    - **Detalle A:** Fachada oficinas.
    - **Detalle B:** Cubiertas.
    - **Detalle C:** Fachada de vivienda por el balcón.

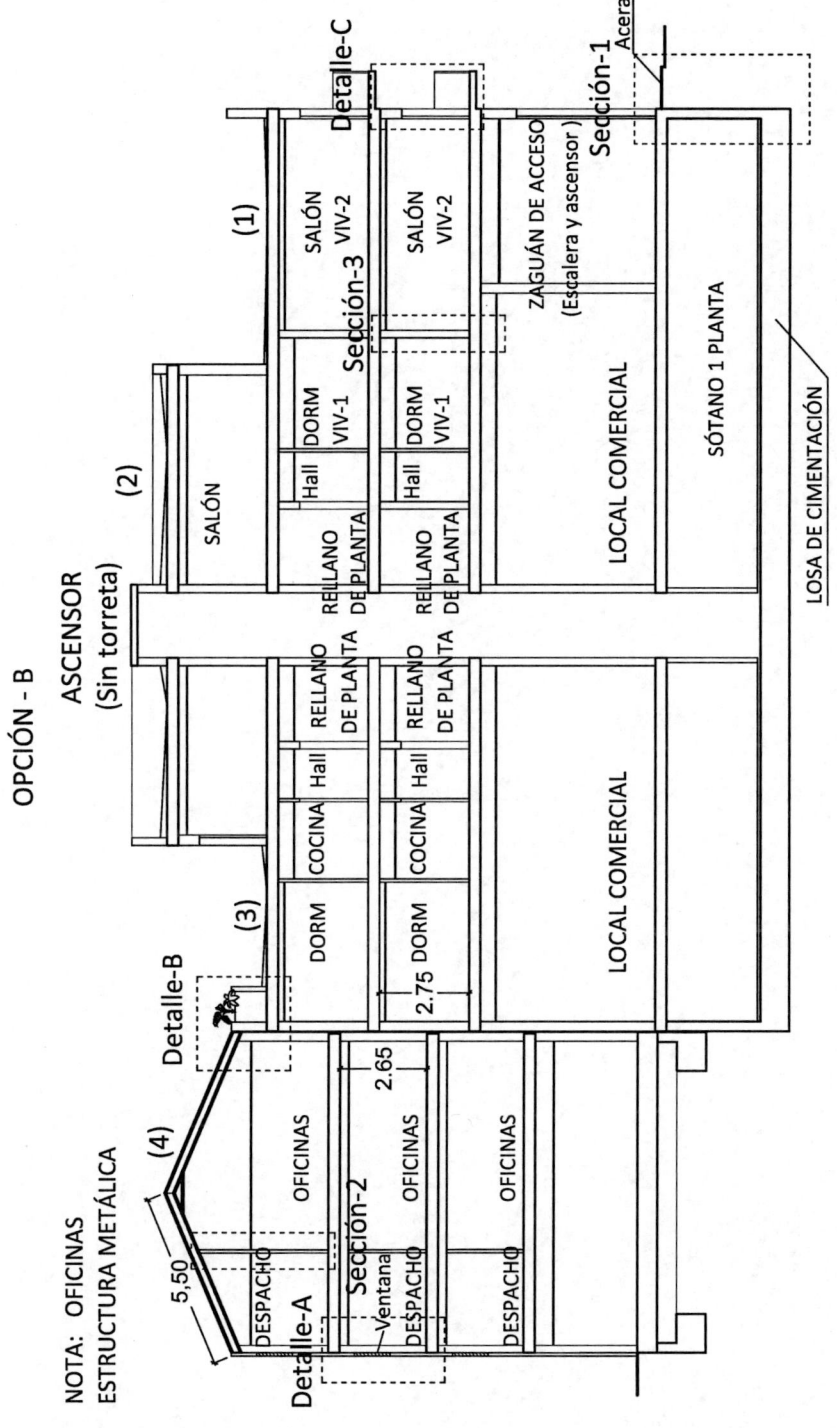

OPCIÓN - B

ASCENSOR
(Sin torreta)

NOTA: OFICINAS
ESTRUCTURA METÁLICA

(1)

(2)

(3)

(4)

Detalle-C

Detalle-B

Detalle-A

Sección-1

Sección-2

Sección-3

Acera

SALÓN VIV-2

SALÓN VIV-2

DORM VIV-1

DORM VIV-1

Hall

Hall

SALÓN

RELLANO DE PLANTA

RELLANO DE PLANTA

RELLANO DE PLANTA

RELLANO DE PLANTA

COCINA

COCINA

Hall

Hall

DORM

DORM

ZAGUÁN DE ACCESO
(Escalera y ascensor)

LOCAL COMERCIAL

LOCAL COMERCIAL

SÓTANO 1 PLANTA

LOSA DE CIMENTACIÓN

OFICINAS

OFICINAS

OFICINAS

DESPACHO

DESPACHO

DESPACHO

Ventana

2.75

2.65

5,50